HELO, PWY SY' 'NA...?

Helo, pwy sy' 'na . . . ?

gan GARETH MAELOR

GWASG PANTYCELYN

Dymuna'r cyhoeddwyr gydnabod cymorth
Adrannau Cyngor Llyfrau Cymru.

ISBN 1 874786 82 8

Cyhoeddwyd ac argraffwyd gan Wasg Pantycelyn, Caernarfon

CYNNWYS

Cyflwyniad	7
Rhagymadrodd	9
Helo, pwy sy' 'na . . . ?	11
Dydd arbennig	13
Lle arbennig	15
Llyfr arbennig	17
Peraroglau	19
Mae'r byd i gyd yn gân	21
Mendio	23
Mawredd y pethau bychain	25
Ein cyrchu'n ôl	27
Gweld a chlywed	29
Benthyca	31
Pa lesâd . . .	33
Parselu Duw	35
Y bregeth fwya'	37
Newid byd	39
Goleua Di . . .	41
Gweld gair a gwerth llyfr	43
Pell ac agos	44
Pen-glin camel	46
Yn ifanc byth	48
Gwyn eu byd	49
Deuwn yn llon . . .	51
Deled dy deyrnas	53
Oes, mae amser	55
Gwrando	57
Dringo'r mynydd	59
Pryderu nid am yr arch ond am y crud	61
Cofio am yr unig	63
Yr antur fawr sy' i ddod	65
Yn well na brawd	67
Y TYMHORAU	
Y gaeaf	69
Y gwanwyn	71
Yr haf	73
Yr hydref	75

DECHRAU'R FLWYDDYN

Edrych yn ôl ac ymlaen 76
Dysg ni gyfri'n dyddiau 78
Gŵyl Dewi 80

Y PASG

Deuoliaeth y Pasg 83
Be' ydy'r Pasg? 85
Sach liain a lludw 87
Yr egni dwyfol 89
Cynnwrf y Pasg 91
'Ymddisgleiria yn y canol . . .' 92

ROEDDEM YNO

Marc 94
Y Canwriad 95
Mair Magdalen 97
Barrabas 98
Simon o Cyrene 99

Y PENTECOST

Y Tafod Tân 101
Gwin yr Ysbryd Glân 103
Chwyth drachefn 104
Fel gwlith 105

DIOLCHGARWCH

Llawenydd a harddwch cariad 106
Ddoe a heddiw 108
Mae'n hydref unwaith eto 110

Y NADOLIG

Y Rhyfeddod mwyaf un 112
Pwy ond Tydi, O Dduw? 114
Agor ein llygaid, ein clustiau a'n c'lonnau ni 115
Y mae'n gwneud rhyfeddodau 117
Cawsom fyd rhyfeddol 118
'Dyma geidwad i'r colledig' 120
Be' ydy 'Dolig? 120
Seren ffydd 121
Bethlehem 122
Herod 123
Y mul 124
Y ddafad 125
Y camel 126

DERBYN CYFLAWN AELODAU

Dod fel 'rydw' i 128
'Cyn oeri'r gwaed' 130
Sul y mamau 132

CYFLWYNIAD

Gwerthfawrogaf ymddiriedaeth Gwasg Pantycelyn ynof i lunio'r gyfrol hon yn y gobaith y bydd yn ddefnyddiol mewn oedfa gyhoeddus ac i bwrpas defosiwn personol, breifat.

Diolch am sawl cymwynas gan nifer o ffrindiau:

- Harri Parri am fy nghymell i lunio'r gweddïau a'i briod Nan am ei chyfraniad gyda'r cyfrifiadur;
- Maldwyn Thomas, swyddog cyhoeddi'r Wasg, am sawl ysgogiad o bryd i'w gilydd;
- R. Arwel Jones am edrych tros y gwaith;

ac i sawl cyfaill o fardd a fu mor barod i gyfansoddi englynion i gyd-fynd â'r gweddïau. A diolch am ganiatâd y gweisg i ddefnyddio ambell englyn a welodd olau dydd cyn hyn.

Daw'r emynau y cyfeirir atynt o Lyfr Emynau a Thonau y Methodistiaid Calfinaidd a Wesleaidd (1929) ac Atodiad (Gwasg Pantycelyn, 1985).

Cyfeiria T. H. Parry-Williams mewn cerdd fechan at weddi offrymwyd ar ei ran ac yntau ar y pryd ym Mrasil,

'Clywais hi'n gynnes o'm hamgylch
Mwynheais ei chyffwrdd swil.'

Byddaf innau'n dragwyddol ddiolchgar am y gweddïau hynny a'm cynhesodd a'm cynnal tra'n orweddiog yn Ysbyty Gwynedd.

Cyflwynaf *Helo! Pwy sy' na . . . ?* i bawb a wêl yn dda i gofio am eraill yn eu gweddïau.

Gweddi'r Claf

Arnat ti y gweddïaf eto, Dad;
    Tydi, pan glafychaf
    O'm cur, yn gysur a gaf,
    Yn iechyd pan wanychaf.

'Rwy'n dawel pan wrandewi; er fy ofn,
    Cryfhaf pan glustfeini;
    Fy mhryder a linieri;
    Dewr wyf er fy llwfrdra i.

Mae i ddioddef dangnefedd; y mae balm
    I boen ac i lesgedd;
    I alar mae gorfoledd
    Ac i adfyd hefyd hedd.

Tydi a'm nerthi pan af i wendid,
    Dduw, drwy wrando arnaf;
    Tydi a goleddi glaf,
    Ti yw'r ennaint ar anaf.

Arnat, pan fo cadernid yn eisiau,
    Mi bwysaf; mewn gwendid
    Dy gryfder, er llawer llid,
    A gaf, a derfydd gofid.

Alan Llwyd

RHAGYMADRODD

Pan oeddwn yn ymgeisydd am y weinidogaeth cefais y cyngor canlynol gan un o flaenoriaid fy nghapel 'Gweddïa faint y mynnot wrth bregethu ond paid â phregethu wrth weddïo.'

Bûm yn gwrando lawer gwaith arno yntau'n gweddïo'n gyhoeddus, ac fel sawl un o'i gyd-flaenoriaid roedd yn siarad yn gwbl naturiol pan yn cyfarch Duw ar ei liniau ger bron gorsedd gras. Yn union fel plentyn yn sgwrsio â'i dad neu fel tae'n siarad â'i ffrind penna'.

Yn y cyfnod hwnnw ceid cyfarfodydd gweddi yn eitha aml ar y Sul a noson waith, ac roedd y gweddïau a glywid yn amrywio yn ôl eu dull a'u cynnwys. Yn sicr roedd rhai yn dueddol i bregethu wrth weddïo ac yn amleiriog a hirwyntog. Eraill wedyn yn ystrydebol a dienaid, ond roedd hefyd weddïau a oedd fel awelon iach, yn 'ffres', naturiol ac yn hawdd uniaethu â hwy wrth eu gwrando. Rhyw fath o weddïau-ymgom oedd y rhain a roddai'r argraff fod y gweddïwr mewn perthynas fywiol â'r Duw byw. Ac onid dyna yw gweddi, y berthynas agos hon! Un yn dweud ei ddweud wrth Dduw ond yr un pryd yn gwrando yn ogystal â llefaru.

Yn wir, nid oes angen geiriau i weddïo, fel y dywed y Salmydd 'yr wyt wedi deall fy meddwl o bell', ia cyn 'eu traethu ger ei fron', sef gweddïo heb ddeud yr un gair yn null y Crynwyr. Mor arwyddocaol yw'r hanes am Eleias y proffwyd ar fynydd Horeb yn 'clywed distawrwydd llethol'. Mae Duw yntau yn clywed pob ochenaid di-dafod.

Pa bynnag ddull a ddefnyddir boed y weddi dawel neu'r weddi lafar glywadwy, yn nerth Duw ei hun yr awn at Dduw, yn nerth yr Ysbryd Glân.

'Gan weddïo bob amser yn yr Ysbryd' (Effesiaid 6: 18)

Gadawodd y gweddïau 'naturiol' a glywais yn ystod fy arddegau cynnar argraff ddofn arnaf, y gweddïau-ymgom hynny oedd yn cael eu llefaru yn nerth yr Ysbryd ac yn codi'n naturiol o brofiadau bywyd bob dydd y gweddïwr. Felly roeddwn yn gwybod am y dull hwn o weddïo cyn darllen cyfrol werthfawr *Prayers of Life* gan Abbé Michel Quoist, ond wedi darllen gwaith yr offeiriad pabyddol hynod hwn fe'm hargyhoeddwyd yn fwy byth o werth y weddi-ymgom rydd, a'r modd y mae Duw yn siarad â ni drwy ddigwyddiadau beunyddiol bywyd. Dywed Michel Quoist nad oes un dim yn rhy fydol i fyfyrio arno. Fel y dywedodd Islwyn 'mae'r oll yn gysegredig'.

Yn yr agennau rhwng meini anferth Wal yr Wylofain, rhan o sylfaen wal gerrig Teml Herod, ceir dwsinau os nad cannoedd o ddarnau bychain o bapurau wedi eu gwthio i'r craciau. Gweddïau ysgrifenedig ydy'r rhain. Braint oedd cael darllen un o'r gweddïau hynny, sef eiriolaeth mam ar ran ei merch mewn gwallgofdy – gwallgofdy ac nid ysbyty meddwl oedd y gair a ddefnyddiwyd. Sgwrs neu ymgom ysgrifenedig oedd y weddi honno yn seiliedig ar ing a phrofiad chwerw bywyd. Gwyddai'r salmydd hefyd a phroffwydi'r Hen Destament am hyn, a'r un peth a bwysleisir gan Michel Quoist. Deialog yw gweddi yn seiliedig ar berthynas agos a'r weithred o droi at Dduw yn ei nerth Ef ei hun.

Mae'r weddi hefyd yn ddrych lle ceir adlewyrchiad o'r gweddïwr ei hun – pa mor ddwfn yw ei berthynas â'i gyd-ddyn ynghyd â'i gyfeillgarwch â'i Waredwr a'i Greawdwr.

Tybiais mai da o beth fyddai awgrymu darlleniadau Beiblaidd ac emynau a darlleniadau eraill i gyd-fynd â'r gweddïau-ymgom. Wedi'r cwbl mae Duw yn llefaru wrthym drwy ei Air a phrofiadau ei bobl. Hyderaf y bydd y gweddïau hyn o gymorth mewn oedfa gyhoeddus neu mewn defosiwn personol.

Gareth Maelor

HELO, PWY SY' 'NA . . . ?

Tri yn Un yw Rhif Ffôn Duw

I ni gwell na'r BT newydd – ei naws
yw'r ein hen dragywydd.
Deuwn ar bob rhyw dywydd
i alw'r Iôn ar ffôn ffydd.

(Einion Evans)

Pwysigrwydd gweddi

Yn hyn o fyd, hanfodol – yw'r weddi
i'r eiddil hil ddynol.
Mae'n deliffôn personol
a'i rif ar yr uchel rôl.

(R. Jones)

Helo, fi sy' 'ma eto, Arglwydd.
Beth, wedi nabod fy llais i? Sawl miloedd sy'n galw arnat Ti ddydd a
nos, ac eto rwyt Ti'n nabod llais pob un ohono' ni, ac mae'r lein bob
amser yn rhydd. Gyda Thi, mae'r amhosib yn bosib. Er bod y lein yn
brysur, does dim rhaid i mi aros fy nhro ac ail-ffonio, rwyt yn ateb yr
alwad bob tro.
Fedra' i ddim dallt sut mae cyfnewidfa'r nefoedd yn gweithio. Mi fedri
siarad hefo pawb ar unwaith heb fod neb yn siarad ar draws ei gilydd.
Tydi hyn ddim yn gneud synnwyr o gwbl, ac eto mae'r drefn yn
gweithio.
Diolch i Ti, Arglwydd am 'deliffôn teulu'r ffydd'.
Rwyt yn ateb pob galwad; chlywais i rioed neges wedi'i ricordio ac yn
deud:
'Mae'n ddrwg gen i, tydi Duw ddim ar gael ar y funud, ond peidiwch
â rhoi'r ffôn i lawr, deudwch eich enw a'ch rhif yn glir ar ôl y dôn hir,
a mi ddo' i i gysylltiad â chi y cyfla cynta ga' i. Diolch i chi am alw.'
Na, does dim hen lol fel 'na, rwyt ar gael bob amser, yn glust a genau,
yn deud 'Helo, pwy sy' 'na?' ac yn syth bin yn nabod y llais cyn i neb
orfod deud ei enw.
Diolch i Ti hefyd nad oes rhaid cofio unrhyw rif, dim ond codi'r ffôn a

chofio'r côd wrth gwrs, trwy Iesu Grist y down atat bob tro, ac mae pob galwad yn ei enw Ef yn rhad ac am ddim.

Hwyrach y bydd angen i mi dy alw Di eto'n ystod y dydd, Arglwydd. Ydy, mae'r ffôn-mudol 'ma'n hwylus dros ben i 'neud hynny, cael dy ffonio lle bynnag 'rydan ni, unrhyw amsar.

Dwi'n mynd rŵan, Arglwydd, mi godai'r ffôn a rhoi galwad eto cyn mynd i gysgu heno, gwnaf siŵr.

Diolch i Ti am wrando, dwi'n teimlo'n well ar ôl cael sgwrs.

Ia . . . mi wna i . . . 'dwi'n siŵr o gofio . . . diolch yn fawr Arglwydd. Amen.

DARLLENIADAU: *Ioan 14: 1-14; Mathew 6: 5-8.*

EMYNAU: *573, 967.*

DYDD ARBENNIG

Y Sul

Dydd hynod i ddod at Dduw, – dydd o ras,
dydd yr Iesu ydyw.
Dydd sy'n cynnig i'r didduw
o stŵr y byd ystyr byw.

Dydd yr enaid, dydd yr ynni – i un
gael sbarduno'i fatri
hefo'r ôm o Galfari
i'w wneud yn ever-ready.

(Einion Evans)

Arglwydd, diolchwn am ddyddiau'r wythnos, o ddydd Llun i'r Sul, ac yn arbennig am heddiw, y seithfed dydd. Dydd wedi ei glustnodi, ac sy'n sefyll allan ymhlith gweddill dyddiau'r wythnos. Dydd wedi ei neilltuo i Ti.
Be' ddywedaist ti Arglwydd? Ai dweud fod pob diwrnod, gŵyl a gwaith yn eiddo i Ti? Wrth gwrs eu bod. Mae holl ddyddiau'r wythnos yn sanctaidd o'r Llun i'r Sadwrn, yn ogystal â'r Sul. Mae'r oll yn gysegredig. Ond, wedi dweud hynny, rhaid cyfadda, mae'r Sul yn Sul wedi'r cwbl! Dweded a fynno, mae i'r Sul ei nodweddion ei hun. Mae'n wahanol i'r dyddiau eraill:

'Hwn yw y sanctaidd ddydd
Gorffwysodd Duw o'i waith;
A ninnau'n awr, dan wenau Duw
Orffwyswn ar ein taith'.

Fe wyddost yn iawn Arglwydd, na fedr neb ddal ati i weithio o hyd ac o hyd, a'i drwyn ar y maen drwy'r amser; gwaith, gwaith, gwaith yn barhaus. Mae hynny'n ormod i ddyn ac i anifail. Yn hwyr neu'n hwyrach fe blygwn o dan bwysau'r gwaith. Ddaliwn ni fyth mo'r straen.
Diolch am sylw yn stori'r creu yn y Beibl i Ti orffwyso ar y seithfed dydd oddi wrth dy holl waith, ac am hynny i Ti fendithio a sancteiddio'r seithfed dydd. Os oeddet Ti y Crëwr angen gorffwys,

13

beth amdanom ni? Mae cymaint bellach yn dioddef tensiwn a thyndra wrth beidio ag ymlacio drwy anwybyddu y pedwerydd o'r Deg Gorchymyn. A dweud y gwir anwybyddu'r deg i gyd. 'Does ryfedd fod llanast a diffyg trefn ar fywyd heddiw. Ond, i ddod yn ôl at y Sul, Arglwydd, mae hefyd yn foliannus, dedwydd a brenhinol ddydd. Ond fydd o byth yn foliannus os na folwn Di ar y seithfed dydd. Diolch Arglwydd fod rhai o hyd drwy'n gwlad a'n byd yn plygu glin ger dy fron ar y Sul. Yn wir, mae miliynau ar filiynau'n gwneud hynny a diolch am y fraint o gael bod yn eu plith. Mae'r gân a'r mawl o hyd yn esgyn o Seion, Seilo a Salem o sir i sir.

'Molianned pawb yn awr',
Sanctaidd, moliannus a dedwydd ddydd.

'Daeth Crist o'i fedd yn fyw'.

Gwastraff ar amser fyddai moliannu dy enw petai'r bedd wedi cael y gair olaf. Ond, chafodd o ddim, neu fyddem ni ddim yn siarad â Thi rŵan. Roedd y weithred o ladd a chladdu Iesu Grist yn chwerthinllyd;

'Rhoi awdur bywyd i farwolaeth
A chladdu'r Atgyfodiad mawr'.

O Sul i Sul mae'r corff a'r meddwl yn cael gorffwys, a'r enaid yn cael ei adnewyddu – ffresni ysbrydol o'n mewn trwy'r Iesu byw.

'Hwn yw'r brenhinol ddydd:
Mae Crist i gael ei le'.

O na bai y Sul hefyd yn cael ei le yn ôl yng nghalon ein cenedl. Ddigwyddith hynny byth, heb i'n cenedl roi ei chalon yn ôl i Ti. O deued y Sul eto yn Ddydd yr Arglwydd yn ein hanes fel Cymry. Amen.

DARLLENIAD: Genesis 2: 1-3.

EMYN: 346.

LLE ARBENNIG – TŶ DDUW

Tŷ Dduw

Yr Amen ydyw'r meini – a geiriau
trugaredd yw'r llechi.
Hefo Iôn yn sylfeini
Mae'n Dŷ nobl, mae'n Dŷ i ni.

(Einion Evans)

Eglwys Crist

Y Gŵr yw'r genadwri, – y Ceidwad
yw coed ei ffenestri.
Mae'r Iawn yn ei muriau hi,
Ef ei Hun yw'r sylfeini.

(Einion Evans)

O! Dduw ein Tad, dywed a yw Bethel yn well na'r Bedol gan mai capel yw un a thafarn yw'r llall? Byddai'r hen bobl erstalwm yn siŵr o ddeud mai dy eiddo Di fo Bethel, a'r diafol y Bedol. A fyddai hynny yn peri fod y capel yn rhagori ar y dafarn? Wedi'r cwbl adeilad 'di adeilad, a'r ddau fel ei gilydd yn fan cyfarfod ag yn lle i bobl gymdeithasu. Pam felly fod un yn well adeilad? Ydi o'n ddigon dweud mai tŷ gweddi yw un, a thŷ potas yw'r llall? Pam beio'r adeilad ei hun, boed hwnnw'n gapel, tafarn neu feudy. O ddifri Arglwydd, ai adeilad ei hun sy'n bwysig? Yr un ydy deunydd eglwys a beudy, ond bod ffurf a phwrpas y ddau'n wahanol a ffenestri'r eglwys yn fwy cain a lliwgar. Mae gan y ddau le gôr. Gwartheg sydd yng nghôr y beudy, a phobl yng nghôr yr eglwys. Adeilad yw adeilad, coed brics a mortar. A yw gweddi offrymir yn llafar o flaen yr allor yn rhagori ar weddi dawel offrymir yr un mor daer mewn tafarn?
Medrem gyfarfod heddiw i'th addoli mewn ysgol, neuadd disco neu yn yr awyr agored. Fyddai hynny ddim yn lleihau gwerth ein haddoliad debyg? Oni ddwedodd Iesu wrth wraig o Samaria nad y lle ond sut yr addolwn sy'n bwysig, sef dy addoli Di mewn ysbryd a gwirionedd. Felly, mae'r byd i gyd yn deml i Ti o Dduw a'r tir dan ein traed lle bynnag y bôm yn ddaear sanctaidd.

Y defnydd a wneir o le, nid ei ddeunydd sy'n cyfri' debyg. Felly, diolch i Ti O! Dduw am eglwys y plwy' a'r Gadeirlan; ac am bob Bethel, Salem a Thabernacl. Wrth gwrs, nid brics, mortar, coed a cherrig sy'n gwneud capel. 'Nid cerrig, ond cariad yw'r meini'. Serch hynny, mae'r capel ei hun yn annwyl i ni. Gwelodd rhywrai'n dda rhyw dro i neilltuo tir sy' dan ein traed i adeiladu tŷ i Ti arno. Golygodd y cloddio osod sylfaen a chwys ar dalcen ein hen deidiau. A bu codi'r muriau'n llafur cariad, a rhoed sawl ceiniog brin i ddiddosi'r tŷ a'i wneud yn addas.

Petai cerrig y muriau yn gallu siarad, a distiau y nenfwd yn gallu llefaru byddai ganddynt storïau rhyfeddol i'w dweud amdanat Ti a'th bobl, Arglwydd. Bu'r tŷ hwn yn gartre' ysbrydol i'th blant ar hyd y blynyddoedd, a magwyd sawl cenhedlaeth yma ar fron dy eglwys a'u siglo yng nghrud y ffydd. Mae'r draul yng ngharped y pulpud yn tystio i'th bobl gael eu porthi'n ysbrydol o ddoe hyd heddiw. Yn nyddiau cau capeli yn lle eu codi, diolchwn fod gwres dy bresenoldeb yma o hyd i bawb sy'n ceisio dy gwmni. Tyrd â'r proffwydo yn ôl i'r bregeth, yr angerdd yn ôl i'r weddi, a'r gorfoledd yn ôl i'r gân.

Diolch fod rhai o hyd yn cadw'r llwybr at dy dŷ rhag glasu. Os agorant ffenestri dy dŷ, Arglwydd, paid â'u siomi, tyred â'th awelon i dreiddio drwyddynt i mewn i'th gysegr i'n adnewyddu ni oll. Gwna pob Bethel eto'n borth y nefoedd, pob Salem yn dŷ tangnefedd a phob Tabernacl yn babell y cyfarfod.

'Gwyn fyd preswylwyr dy dŷ'; diolch am fraint o gael perthyn i'r teulu, ac am bob aelwyd ysbrydol lle gellir dy addoli Di mewn ysbryd a gwirionedd.
Amen.

DARLLENIADAU: IOAN 4: 19-24; SALM 84.

EMYNAU: 773, 803.

LLYFR ARBENNIG – LLYFR DUW

Y Beibl

Llyfr mawr ei bwnc, llyfr mwya'r byd, – llyfr Duw,
  A llyfr deddf yr hollfyd:
  Mae bywiol fflam y bywyd
  A grym y Gair yma i gyd.

(R. Jones)

Arglwydd, be ' wnaet â llyfr nad wyt yn ei ddarllen, ei feingefn 'di
rhwygo a'i dudalennau'n rhydd, a thraul blynyddoedd arno drwyddo
draw? Be' wnaet â llyfr mor fregus a blêr?
Ei luchio i'r domen a phrynu un arall?
Wna' i ddim hynny, a fedrwn i ddim. Arglwydd, mae gen i gopïau
eraill o'r un llyfr, a'u cyflwr yn llawer gwell, yn wir yn berffaith. Mae'r
rhain yn fwy diweddar a'r iaith yn llithrig, dealladwy a llyfn. Ac eto,
dwi'n dal gafael ar y copi treuliedig a di-lun, a hynny Arglwydd gan
mi Ti ydy awdur y llyfr. Amhosib dinistrio'r Gair sy'n para byth.
Diolch am lyfrgell y Beibl. Llond silff o lyfrau o fewn un clawr. Y cwbl
yn un gyfrol, yn storïau a hanes, yn gyfraith, llythyrau, barddoniaeth
a chwedlau, yn broffwydoliaethau a llyfrau doethineb a serch. Ni
welwyd mo'i debyg ac mae'n llyfr gwahanol i holl lyfrau'r byd, ac yn
gwerthu'n well na'r un o flwyddyn i flwyddyn ar hyd y canrifoedd.
Diolch am ei gael yn y Gymraeg – rhoes urddas i'n hiaith a'i chadw'n
fyw. Mae wedi'i gyfieithu bron iawn i bob iaith ac mae'r galw amdano
yn fwy nag erioed.
Ac eto, faint bellach yng Nghymru sy' heb gopi ohono?
Faint sydd gyda chopi nad ŷnt yn ei ddarllen, a'r hen Feibl mawr yn
ddim ond addurn ar fwrdd? Gormod o'r hanner; byddai llai o
droseddau a mwy o dosturi petai rhagor o bobl yn darllen hwn.
Ond mae rhai sy'n troi ato'n feunyddiol -
I'r rhain mae dy Air:

- fel glaw yn adfywio,
- fel lamp yn goleuo

ac yn fwyd a diod i bawb a'i ddarlleno.
Diolch am lyfr arbennig at bob achlysur.

Fe'i gwelir ym mhobman, ar fwrdd mewn ysbyty, mewn carchar, mewn gwesty, ysgolion, colegau a chanolfannau o bob math.
Ond yn fwy na dim, gweddïwn i'th Air ddod yn llyfr agored yn aelwydydd ein gwlad. Gwŷr a gwragedd yn ceisio ei ddeall; a rhieni o'i ddarllen yn egluro ei neges i'w plant.
Byseddwn dy lyfr
ac o gyffwrdd dy eiriau ein hysgwyd a'n deffro gan drydan dy Air.
Gair y Bywyd, nid cyffur ond cyffro, a sicrwydd nid swcwr a geir yn hwn.

> 'Y mae'r glaswellt yn crino, a'r blodeuyn yn gwywo;
> ond y mae gair ein Duw ni yn sefyll hyd byth.'

Arglwydd da, 'agor inni'r Ysgrythurau,
> Dangos inni Geidwad dyn'.
Amen.

DARLLENIADAU: Eseia 55: 10-11.

EMYNAU: 280, 282.

> 'Nac anghofiwn
> Y clagwydd herciog
> A roes ambell gwilsyn i'r Esgob Morgan,
> Gan roddi nawdd ei esgyll i'r iaith Gymraeg.'

> (Yn Gwilym R. Jones, 'Salm i'r Creaduriaid')

PERAROGLAU

Rhosyn a'i bersawr iasol

Wele hwn yn berl o hud – a'i wên laes
Ar ein lawnt mor hyfryd;
Yn llesmeiriol ei olud,
Chanel ddibotel ein byd.

(Geraint Lloyd Owen)

Arglwydd ydy'r nefoedd yn perarogli? Os ydyw, mae aroglau paradwys yn hyfrytach na phersawr Yves St Laurent, Esteé Lauder a Chanel i gyd gyda'i gilydd. Yn wir, yn fwy peraidd na pherarogl y rhosyn, y lafant a holl flodau'r maes a'r ardd. Os ydyw persawr y nefoedd yn debyg i bersawr ein daear ni, yna mae'r arogl yn fendigedig.

Diolch i Ti am synnwyr i arogli; ac am y gwahanol aroglau, a diolch hefyd am y bodlonrwydd a ddaw drwyddynt. Os yw pryder yn pwyso arnom ceir gollyngdod wrth anadlu sawr y pinwydd wrth gerdded llwybrau'r goedwig. Os yw'r meddwl yn gythryblus daw tangnefedd o sefyll ar dwnan dywod a wynebu'r môr, a ffroeni arogl gwymon, heli a'r gwynt ddaw dros y tonnau.

Mae i bawb a phopeth ei arogl ei hun, ac i bob persawr ei rinwedd. Diolch i Ti y Crëwr doeth amdanynt:

- Yr aroglau hyfryd sydd i wallt newydd ei olchi, a'r arogl arbennig hwnnw sy'n perthyn i fabi bach.
- Mae dillad glân a sychwyd gan y gwynt â'u harogl eu hunain. Daw cwsg yn rhwydd wrth orwedd dan ddillad gwely newydd eu golchi.
- Mor iach wedyn yw arogl y pridd adeg aredig, neu'r caeau gwair adeg y cynhaeaf.
- Y llesmair rhyfedd sydd i flodau gwyllt y gwrychoedd neu flodau'r ardd ar hwyrnos yn yr haf. Persawr na ellir ei gostrelu byth a'i roi mewn potel sent.

A beth am

- yr arogl sydd i fara newydd eu crasu a'u tynnu o'r popty,
- arogl stiwdio'r arlunydd,

- arogl cŵyr canhwyllau'r eglwys,
- arogl lledr gweithdy'r crydd,
- arogl dail mintys, saets a phersli,
- arogl mwyar perthi ac afalau aeddfed y berllan,
- arogl y bore bach pan fo'r barrug yn drwm?

Mae'r rhestr · yn ddi-ben-draw, Arglwydd! Diolchwn hefyd am bersawr y nefoedd y gellir ei anadlu o fod gyda Thi. O'th ganlyn, mae'r persawr yn aros arnom fel y bo eraill a ddaw i'n cwmni eisiau dy ddilyn Di. Pawb a gâr dy gwmni eu 'henwau'n perarogli sydd', Amen.

DARLLENIADAU: Colossiaid 3: 12-17.

EMYNAU: 476, 488.

Dod imi galon well bob dydd,
A'th ras yn fodd i fyw;
A boed i eraill trwof fi
Adnabod cariad Duw.

(E.W.)

MAE'R BYD I GYD YN GÂN

Fiola

Mae ei thôn yn esmwythâd. – fiola'n
Fawl i Dduw y cariad;
Aria o'r tant yn glod i'r Tad
A hedd alaw'n addoliad.

(Emrys Roberts)

Gair o brofiad

Pan ddaw praw' amheuon prudd, mae inni
Ein hemynau 'sblennydd;
Gwn fod ffordd i ganfod ffydd
Trwy ogoniant organydd.

(Emrys Roberts)

Wrth wrando ar gân aderyn y bore bach, neu fwrlwm nant yn
nhawelwch y mynydd, neu simffoni'r don, ar lanw a thrai, rhyfeddwn
at gerddoriaeth dy greadigaeth. Mae'r byd i gyd yn gân, a phob sŵn a
sain, a'r lleisiau oll yn ymateb i Ti. Mae côr a cherddorfa'r cread yn
dilyn arweiniad dy law.

Diolch i Ti am nodau cerdd a'r ddawn a roist a rai i'w trin a'u trafod,
a'u trosi'n fiwsig o bob math, boed lon neu leddf. Mae'n ddiddorol
mor wahanol ac amrywiol yw trefniadau cerdd y cyfansoddwyr er
bod y nodau a ddefnyddir yr un fath.

Yr un yw'r nodau mewn hwiangerdd fwyn sy'n suo plentyn bach i
gwsg â'r nodau geir yn fwrlwm ac yn gynnwrf mewn concerto gan
John Sebastian Bach. Fe roist i'r meistri mawr ryw ddawn sy'n
anghyffredin iawn, y ddawn i roi mynegiant drwy nodau cerdd, y
ddawn i drosi eu teimladau'n fiwsig cain a throsi ei
hargyhoeddiadau'n gân. Diolch am freintio'r meistri hyn â'r ddawn
sy'n brin – 'Finlandia' fawr Sibelius sy'n ysbrydoli'r rhai a'i clyw i garu
eu gwlad a phoethi'r gwaed:

'Dros Gymru'n gwlad, O! Dad, dyrchafwn gri'.

• Cerddi Lieder Schubert sy'n gogoneddu melodïau serch mor fwyn
a swyno rhamant natur â'u nodau pêr.

'Rhosyn, rhosyn, rhosyn rhudd ar y wal yn tyfu'.

- cynnwrf operâu Wagner
- dawnsfeydd cerddoriaeth Strauss,
- rhyferthwy oratorio Handel, y Meseia a'r corws Haleliwia:

'Teilwng yw'r Oen a gadd ei ladd
yn oes oesoedd, Amen.'

Fe'u breintiwyd oll ag un â chlust i glywed cân yr awel a miwsig nant a simffoni mewn storm. Mozart, Debussy, Stravinsky, Tchaikovsky, Verdi, Elgar, Strauss, Lloyd Webber a Bach, ac nac anghofiwn chwaith ein Tad, ymhlith y rhain sawl Cymro a berffeithiodd y ddawn o briodi emyn a thôn, a chysegru'r gân yn fawl i Ti. Protheroe, Caradog Roberts, Vaughan Thomas, Joseff Parry a'i 'Orfoleddus' dôn, a 'Blaen y Coed'. Y brodyr John ac Arwel Hughes, erys eu hemyn-donau tra pery'r iaith. O ble y cafodd un y ddawn i glywed tant yr awel, a llunio cerdd o'r gwanwyn yn y llwyn? 'Tydi a Roddaist.'
Diolch am roddi i ni fiwsig, cerdd a chân, Amen.

DARLLENIADAU: Salm 92: 1-3; 95: 1-3; 96: 1-2; 100.

EMYN: 829.

22

MENDIO

Mendio

Unwaith, do, fe fûm innau – yn waelach
Ac ar wely'r Angau
Ond drwy daerni gweddiau
Rwyf o hyd yn ymgryfhau.

(Geraint Lloyd Owen)

Arglwydd, diolch am y rhodd o iechyd ac am wellhad wedi salwch maith, ac am y wefr o godi llaw i'r genau, a nerth bôn braich yn dod yn ôl. Cryfhau wedyn o gam i gam yn ara' bach. Yna, un dydd, cerdded heb bwyso ar ddwy ffon. Mae codi a sefyll heb gymorth – torsythu heb afael mewn canllaw – mae hynny ynddo'i hun yn llawenydd di-ben-draw. Pan gliriodd penfedd-dod, treblwyd y diolch. Mor wir yw geiriau emyn Elfed:

'Llaw a deall dyn perffeithia,
Er iachâd
A rhyddhad
Nefol Dad, i dyrfa.'

Mae cyfnod mewn ysbyty yn agoriad llygad Arglwydd. Ydy, mae llaw a deall dyn a'i wybodaeth yn syfrdanol – a diolch am hynny:
– Sganio'r corff heb graith na phwyth, a'i ddadansoddi heb adael clwyf.
– Trallwyso gwaed a thrawsblannu organau. Gwyrthiau ein hoes wyddonol. Ond, er cymaint cyflymdra meddygaeth ein canrif ni, araf yw taith iachâd a serth yw 'Gallt y Gofal'

'Cropian decllath ar i fyny,
Llithro naw yn ôl o hynny;
Caffael codwm, methu codi,
Nes cael help ac ymwroli.'*

Diolch Arglwydd am ennill llath wrth wella, er colli naw.

'Wrth hir-gropian, ac ym'wingo,
Cael i Ben y Bryn dan gwympo;
Rhoi yno mhen i lawr i orwedd
Mawl i Dduw am bob trugaredd.'*

* gwaith Lewis Morris (Môn)

Er unrhyw arafwch, diolch o Dduw am sicrwydd iachâd:

- am godi allan 'rôl hir-orweddian, a cherdded heb lusgo traed,
- am gael drachtio awyr iach,
- am gael anadlu heb fygu, a chysgu heb beswch,
- am gael bwyta'n iach a blasu'r bwyd,
- am gymorth anwyliaid wrth ddringo 'Gallt y Gofal',
- am eu gweddïau, eu ffydd a'u dyfalbarhad,
- am sawl 'gwastad' wrth ddringo bryn i orffwys ennyd cyn dringo'n uwch,
- am gael cyrraedd y brig a gweld wrth edrych yn ôl i Ti fod gyda ni gydol y daith.

Arglwydd, diolch am y rhodd o iechyd ac am wellhad. Amen.

DARLLENIADAU: Actau 3: 1-10.

EMYN: 747.

(Rhan o lythyr dderbyniais gan y Parchedig R. O. G. Williams, Rhoslan)

On'd ydi'r corff dynol yma'n fwndel o beth dyrys, dywed? Ac yn wyrth o greadigaeth ar ben hynny. Yn rhyfedd iawn, roeddwn i'n sôn ar bregeth y Sul dwytha un nad ydi o'n syndod o gwbl ein bod ni'n mynd yn sâl. Y syndod i mi ydi'n bod ni'n cadw mor **iach**. Meddwl yr oeddwn i am y sustem gorfforol yma sy'n llawn o nerfau a gwythiennau a falfiau a'r rhan fwya o'r rheini'n anfeidrol fach (a brau ar ben hynny) yna'r holl **draul** sydd ar y cyfan oll, a hynny o'r dydd y cawsom ein geni – a 'stopiodd y galon ddim curo **o gwbl** ddydd a nos dros yr holl flynyddoedd. (Sawl injan car sy'n cancro yn y domen byd? – ac y mae deunydd y rheini, nid yn gnawd meddal, ond yn ddur, a haearn, a sawl math o 'alloy'.) Yna, ar ben y cyfan, mae'r tipyn corff yma'n cael ei fombardio'n gyson gan feirws a gwenwyn a bacteria . . . ac **eto** mae yna rywbeth yn ein deunydd sy'n mynd i wrthweithio pob ymosodiad.

Na'n wir, nid ein bod ni'n mynd yn sâl weithia ydi'r syndod. Y **wyrth** ydi'n bod ni'n cadw cystal, ac yn medru ymadfer er gwaetha popeth. 'Mawl i Dduw am bob trugaredd' – Amen, Lewis Morys, ddweda i.

MAWREDD Y PETHAU BYCHAIN

Dŵr

Y gwael a sychedig ŵr, nac wyla,
Cei eilwaith weld swcwr
Iesu mewn cymwynaswr,
Dy Dduw mewn glasied o ddŵr.

(Emrys Roberts)

Duw mawr y rhyfeddodau bach

Duw'r ynni mewn electronnau – a'r nerth
Sy'n troi'n wib atomau,
Y Gair trwy'n celloedd yn gwau
Yw'r Un sy'n creu niwtronau.

(Emrys Roberts)

Arglwydd mae dy greadigaeth di yn rhyfeddol, ond am fwy nag un rheswm mae'n anodd agosau at rai o'th greaduriaid. Mae'n iawn edrych o bell ar glamp o darw du Cymreig, ond agosau ato? Go brin! Ar y llaw arall mae'n hawdd anwesu llo bach. Mae'n hawdd rhoi mwytha hefyd i Doberman neu Rottweiler pan fônt yn fis oed, ac mae cyw clagwydd melyn ei blu mor ddel. Pwy fedr beidio â gwirioni hefo oen bach sy' mor ddiniwed ac annwyl.

Fe ddoist Tithau i'n byd fel un bach yn do! Ti y crewr yn datguddio dy hun a'r un pryd yn ymguddio mewn baban. Fel arfer y mawr, y niferoedd a'r llawer sy'n tynnu sylw – uchder yr Wyddfa, y Stadiwm Genedlaethol yn llawn cefnogwyr a thîm rygbi Cymru wedyn yn gyhyrog a dros chwe' troedfedd yn nhraed eu sanna – y mawr, yr anferth a'r cryf.

Arglwydd gwna i ni weld dy fawredd di yn y pethau bach, yn yr ychydig ac yn y lleiaf a'r gwannaf o'th greadigaeth. Daeth Iesu Grist i'n plith 'yn faban heb ei wannach'. Am bob Herod creulon mae 'na gannoedd sy'n gwirioni uwch y crud a'r pram, a baban diniwed yn mynnu'n sylw a'n hamser, a dod â ni at ein coed ac yn nes at ein gilydd. Awn ni ddim i mewn i'th deyrnas Di heb ein troi a'n gwneud fel plant bychain meddai Iesu Grist. Llwyddaist i wasgu dy fawredd i

25

bethau bach iawn:

- ceinder patrwm ar y gragen leiaf ar lan y môr,
- gwead y plu bychain ar aden aderyn,
- mae dy ogoniant di oddi mewn i'r blodau symlaf un – llygad- y-dydd – 'y deial aur rhwng dail arian.'

Mewn un diferyn o ddŵr mae cymaint o greaduriaid na welir mohonynt ag sydd o sêr yn y gofod di-ben-draw.
Defnyddiodd Iesu Grist yr ychydig er lles y llaweroedd. Yn ei ddwylo ef roedd pum torth haidd a dau bysgodyn yn ddigon ar gyfer y miloedd, a hatling y wraig weddw yn sgleinio fel sofran felen. Medri di gyflawni dy waith mewn eiliad o amser tra byddom ni'n cymryd blynyddoedd.

'Gwnaethost fwy mewn un munudyn
Nag a wnaeth y byd o'r bron.'

Gwyddom fod y darn lleiaf o furum yn ddigon i lefeinio llond cafn o flawd, ac mae pinsiad o halen yn ddigon i flasu ein bwyd. Galwyd y disgyblion cynta' 'rioed yn halen y ddaear, a dim ond deuddeg ddewisodd yr Iesu i ledaenu ei deyrnas fawr.
Llond dwrn o ddilynwyr i goncro'r byd, ac fe'i galwodd hwy yn oleuni'r byd. Ar noson dywyll ddu fel y fagddu mae golau un gannwyll yn ddigon i sirioli'r gwyll. Mae un wreichionen yn ddigon i losgi coedwig. Boed i ninnau, Arglwydd, gofio gwerth yr ychydig a'r pethau bychain.
Gair bach ydi diolch, ond mae'n mynd ymhell, ac mae'r wên leiaf un yn siarad cyfrolau. Pethau bach bywyd sy'n costio dim ydi'r mwyaf gwerthfawr yn dy deyrnas fawr Di, fel cwpanaid o ddŵr oer yn enw disgybl.

Prysured dydd y pethau bychain er dy glod, a deled
dy deyrnas sydd fel hedyn mwstard, y lleiaf o'r holl
hadau, ac a dyfodd yn goeden fel bo adar yr awyr
yn nythu yn ei changhennau.

Amen.

DARLLENIAD; Mathew 13: 31-33.

EMYN: 492.

26

EIN CYRCHU'N ÔL

Y Bugail

Clyw y dolef a'r brefu, – ond yna
Daw Un i'n gwaredu,
Ar rosydd byd mae'r Iesu
Yn Geidwad i'r ddafad ddu.

(John Pinion Jones)

Ein Tad, mae'n anodd deall rhai o dy Saint di, hynny ydi, os oedd yr emynydd enwoca' sy' ganddom ni yn sant – fe alwyd rhai llawer llai eu cyfraniad na Phantycelyn yn saint. Ond, sut medrai William Williams ddweud mor aml yn ei emynau fod ei gyflwr ysbrydol mor druenus, ac yntau wedi dod â chymaint o bobl i'th adnabod Di?

"Rwy'n gorwedd dan fy mhwn,
Yn isel wrth dy draed,
Yn adde' mod yn waelach dyn,
Nag eto un a gaed'.

Sôn wedyn ei fod yn crwydro ar gyfeiliorn:

'Mi wyraf weithiau ar y dde,
Ac ar yr aswy law'.

Neu . . .

'Pererin wyf mewn anial dir,
Yn crwydro yma a thraw'.

Os oedd y Pêr-ganiedydd, Arglwydd, yn teimlo fel hyn, druan ohonom ni sy' wedi dilyn ein mympwyon. Pa obaith sy' ganddon ni i ffeindio'n ffordd yn ôl atat Ti? Pam na chawsom ni reddf y wennol? Gall honno hedfan gannoedd o filltiroedd a dychwelyd i'r union nyth o dan y bondo lle bu dechrau'r daith yn ei hanes. Yr eog wedyn yn nofio'r daith faith a hir, o eitha Môr Iwerydd i'r aber a'r afon y ffarweliodd â hi yn siwyn ifanc. Clywsom hefyd, ein Tad, am sawl creadur, boed yn gath neu'n gi, wedi crwydro'n hir a phell yn darganfod y ffordd adre'n ôl yn ddiogel.

Ond, amdanom ni, rhaid i rywun chwilio amdanom a'n cyrchu'n ôl o hyd ac o hyd. Ia, crwydro yma a thraw mewn anial dir. Mor wahanol i'r ci defaid yw'r ddafad. Mae'n crwydro o'i chynefin, ac ar goll yn llwyr. Fel y ddafad golledig, felly ninnau. Diolch i ti am bennod arbennig yn yr Efengyl yn ôl Luc, y bymthegfed, pennod y rhai colledig – dafad, darn arian a mab colledig. Ddaeth y ddafad ddim yn ôl ohoni ei hun, 'roedd rhaid chwilio amdani, ei chyrchu a'i chario adra'. Rhaid oedd chwilio am y darn arian hefyd, 'sgubo'r tŷ'n lân nes dod o hyd iddo. Er i'r mab hwnnw aeth i'r wlad bell ddechrau'r daith yn ôl, aeth ei dad i'w gyfarfod i'w hebrwng adra'. Yn ôl y ddameg, aeth y tad allan at y mab hynaf hefyd am iddo bwdu a gwrthod dod i'r tŷ i groesawu ei frawd bach afradlon.

Diolch mai Ti ydi'r tad hwnnw sy'n chwilio amdanom nes ein cael, a gwneud pob ymdrech i ddod o hyd i ni, a'n hebrwng yn ôl o'n crwydro ffôl. Boed i eiriau'r sant hwnnw o Bantycelyn droi yn brofiad i filoedd heddiw sy' fel defaid ar wasgar. Ac yn brofiad hyfryd yn hanes pob 'brawd mawr' a ninna' hefyd os ydi'r cap yn ffitio:

> 'Arwain fi trwy'r anial maith . . .
> . . . Fel na flinwyf ar fy nhaith
> Nes mynd adre.'

Amen.

DARLLENIADAU: Luc 15: 1-10.

EMYNAU: 465, 861.

GWELD A CHLYWED

F'enaid Gwrando . . .

Ni welwn er in wylio; – i lawer
nid clywed yw gwrando.
Yn awr a'r Iesu'n curo
mynnwn hedd ei gwmni O.

(Einion Evans)

Ein Tad maddau i ni am fod mor ddall yn chwilio amdanat a thithau
o'n cwmpas ym mhob man. Syllwn ar ffenestr yr eglwys i geisio
gweld dy wyneb yn y gwydrau lliw, a Thithau drwy'r amser yn y
stryd oddi allan ynghanol y mil wynebau. Mae Iesu heddiw'n fyw yn
ei eglwys a'r eglwys honno yn cerdded heolydd y ddinas, a'r Ysbryd
Glân yn chwys sanctaidd ar dalcen pobl fel y Fam Teresa, fu'n
glanhau doluriau dy Fab Iesu wrth drin clwyfau trueiniaid Calcutta.
Ei archollion o ydi briwiau tlodion yr India. Agor ein llygaid – cynnal
ein golwg.
Maddau i ni am fod mor fyddar, yn clustfeinio am dy lais yng nghân
yr anthem, a'th eiriau Di i'w clywed ar wefusau'r anghenus sychedig
sy'n crochlefain am ddiod o ddŵr.
Clywir dy lais yn cyfri'r plancedi i dlodion y Trydydd Byd, ac yn eu
dysgu i ddreifio'r tractor a thrin y tir. Yr un llais sy'n torri
distawrwydd y nos yn ward yr ysbyty ac yn ysbrydoli'r claf wrth
estyn iddo ddiod o ddŵr i lyncu'r bilsen. Mae dy lais i'w glywed ym
mhob man lle bynnag mae'r eglwys wrth ei gwaith, o'r pulpud ac ar
y palmant, yn yr Ysgol Sul ac ar y stryd, mewn clinig a dosbarth
ysgol, yn nhawelwch eglwys y plwy' ac ym merw'r dref. Fe'th glywir
yng nghri baban newydd ei eni, yn nhrydar adar yn cyfarch y wawr
ac yn su'r awel yn nail y coed, ym mref yr oenig yn galw'i fam, ar
enau'r henwr yng nghartre'r hwyrddydd wrth ddweud ei bader, yn
nwndwr peiriannau argraffdy Tŷ'r Beiblau, o gylch y bwrdd cinio
heddiw wrth ddiolch am luniaeth a llawenydd.
Maddau ein bod ni mor fyddar; agor ein clustiau – defnyddia ein
clyw:

'Y glust sy'n clywed a'r llygad sy'n gweld,
Tydi a'u gwnaeth ill dau'.
Amen.

DARLLENIAD: *Diarhebion 20: 12.*

EMYNAU: *707, 892.*

(Pwy piau'r ymson uchod? Daeth i'r fei wrth glirio a thacluso drôr fy nesg. Ai arall neu myfi, nis gwn. Os nad myfi, maddeued imi am ei chynnwys yn y casgliad hwn.)

BENTHYCA

Benthyca

Rhy Ef yn ddiwarafun – y cyfan,
Ac fe'i caf heb ofyn,
Gan faddau leied wedyn
Roddaf fi o'r eiddof f'hun.

(Geraint Lloyd Owen)

Arglwydd, derbyn a chael yw ein hanes ni o hyd, a rhoi a rhannu yw
dy hanes Dithau. O fore gwyn tan nos, o ddydd i ddydd rŷm ar dy
ofyn o hyd ac o hyd Arglwydd, a thithau'n ymateb ac yn estyn dy law.
Y Rhoddwr mawr wyt Ti, Tad pob bendith, ac fel y Tad, felly'r Mab.
Drwy ei yrfa ddaearol ni pheidiodd Iesu â rhoi, rhoi o'i amser a'i allu,
ac yn y diwedd rhoi ei fywyd trosom ni.

Diolch i Ti am y rhoi hwnnw.

Ond bu adeg yn hanes Iesu, diolch am hynny, pryd bu yntau'n ceisio
a chael, ac yn barod i ofyn cymwynas. Mae benthyca'n weithred lesol
i'r sawl sy'n rhoi fel i'r sawl sy'n cael. Arglwydd, mae'n dda cofio y bu
i'th Fab, a roddodd gymaint fynd ar ofyn eraill o bryd i'w gilydd.
Benthyciodd breseb pan ddaeth i'n plith. A wyddai'r perchennog iddo
roddi benthyg crud i grewr y byd?

Mae'n siwr y cofiodd Pedr hyd ei fedd gais ei feistr am iddo rwyfo o'r
lan. Benthyciwyd ei gwch a'i droi yn bulpud dros dro, a chynulleidfa
glan-y-môr yn clywed pregethu'r gair o'i starn. Athro ar ofyn disgybl.
O! Y fath fraint a ddaeth i'w ran.

Hawdd dychmygu, Arglwydd, yr olygfa ar lethr bryn uwch môr
Tiberias ar hwyrnos haf a'r dyrfa yn ei miloedd wrth draed Iesu.
Yntau'r glaslanc yn wên o glust i glust.
Ei eiddo ef oedd y bara haidd a'r ddau bysgodyn.
Pwy oedd perchennog yr ebol-asyn fenthyciwyd gan Iesu i'w gario ar
ei daith i'r brifddinas un dydd?
Asyn yn farch i frenin, a brenin byd yn dod ar ful!
Gwyleidd-dra heb ei fath a hefyd gwefr heb ei hail:
'Fy ebol-asyn i yw hwnna,' medd un â balchder yn ei lais.
Eiddo pwy oedd yr oruwchystafell fenthyciwyd i fwyta gwledd y

Pasg? Sawl gwaith wedi hynny bu'n adrodd yr hanes a dweud 'Ar fy aelwyd i y torrwyd y bara y tro cynta' erioed.'

Joseff o Arimathea wedyn, ei eiddo ef oedd yr ardd, y bedd yn y graig, a'r amdo.

Mae'n deimlad braf, Arglwydd, fod rhywun fy eisiau ac yn dod ar fy ngofyn, a bod gen i gyfraniad a rhywbeth i'w roi, yn arbennig os mai Ti sydd yn gofyn.

Yn faban dibynnai Iesu'n llwyr ar ei fam.

Pwy ond efe, roddwr pob peth, a ddeuai i'n plith heb ddim?

Diolch i Ti Arglwydd am ddod ar ein gofyn o dro i dro, ac am i ni gael rhoi i Ti a theimlo ein bod yn cyfri yn dy olwg.

Amen.

DARLLENIAD: Luc 5: 1-11.

EMYN: 904.

PA LESÂD . . .

Er ennill byd yn gryno, – er ennill
Coronau ac eiddo,
Ond â'i foeth mor dlawd efô,
A'r enaid oll yn crino.

(John Pinion Jones)

Ti Arglwydd, grewr yr haul a'r glaw, dywed wrthym mai ofer yw
dilyn enfys. Ni welir byth mo'r cawg wrth droed y bont, sy'n llawn
o drysor melyn drud. Dywed wrthym Arglwydd, mai breuddwyd
ffôl yw ceisio'r hyn nad yw ar gael – nad oes man gwyn, man draw.

Prun bynnag, Arglwydd, petaem yn dod o hyd i'r cawg o aur, ni
fyddai'n ddigon byth.

Melys moes mwy yw pethau'r byd.

Maddau inni, Arglwydd, mai pobl nad oes digoni arnom ydym ni,
'does dim digon i'w gael.

Mae'r sgwâr yn rhy fach i'n hogia ni, rhaid wrth y wlad i gyd. Ac
wedi cael y wlad, rhaid cael y byd. Pa lesâd, medd Iesu Grist, yw
ennill yr holl fyd a cholli enaid yr un pryd?

Mor dlawd ydym Arglwydd, yng nghanol digonedd, yn awchu am
fwy. Er yn gweld, eto'n ddall i dlodi'r Trydydd Byd. Mwya'n y byd
sydd i ni, lleia'n y byd a gânt hwy.

Maddau inni Arglwydd, am ddilyn yr enfys.

Maddau ein breuddwydio ffôl.

Mae miliynau'n byw o Sadwrn i Sadwrn yn lle o Sul i Sul.
Disgwyliwn yn eiddgar i'n rhifau ni ymddangos ar y sgrîn. Rosari o
beli lliwgar sy' gennym ni ac i bob pêl ei rhif.

Petai, fel sy' yn digwydd ambell waith i bêl a'i rhif yn iawn ddisgyn
yn dwt i'w lle, byseddwn hon, a'n gweddi yw y bydd y gweddill oll
yn dwyn ein rhifau ni. I'r peli hyn mae lliwiau pont y glaw. Pan awn
yn nes at yr enfys mae honno'n symud draw. Tra bôm yn ceisio
paradwys ffŵl fel hyn, mae rhai heb ddim yn llwgu ar ein daear ni.

Byw o ddydd i ddydd wna rhain heb obaith yn y byd.

Faint yw ein digon ni?
Faint yw eu hangen hwy?
Na foed i ni ddilyn yr enfys mwy, dilynwn Di.
O cymorth ni.
Amen.

DARLLENIADAU: Mathew 6: 19-21; Mathew 6: 24-34.

EMYN: 789.

PARSELU DUW

Duw handi yw Duw undydd

Yn rhyfedd er i Iehofa'u – noddi
pan oeddent yn bethma,
eu Duw wneir yn barsel da,
un neis-neis tan tro nesa'.

(Einion Evans)

Arglwydd, fydd pobl yn manteisio arnat Ti, siŵr o fod. Fydde' ni ddim
fel arfer yn hoff o gael ein defnyddio, fyddi di?
Mae gennym ofn dy fod at iws pawb y dyddia' 'ma, a phobl yn galw
arnat yn ôl yr angen, ac yn ôl eu mympwyon.
Wyt Ti'n blino bod yn ambarél i'w agor pan fo'n bwrw glaw ac yna ei
gau a'i gadw tan y gawod nesa'? Tydi hynny ddim yn deg wyddost.
Dyna be' ydi manteisio.
Mae gennym ofn Arglwydd, ein bod ninna' yr un mor feius, yn dy
ddefnyddio fel Aspro neu Banadol, yn rhywbeth i'w lyncu pan fo cur
yn y pen, ac yna, pan gilia'r aflwydd cau'r botel a'i anghofio.
Mae rhai'n cofio'r capeli'n gyfforddus lawn, ond roedd rhyfel drwy
Ewrop pryd hynny.
Hawdd byseddu naw, naw, naw pan fo'n argyfwng, Arglwydd.
Maddau inni'th 'neud yn Dduw cyfyngder yn unig, yn Dduw y storm
a'r tywydd mawr, a ninnau'n gneud drama ohonot mewn creisys.
Be' ddwedest Ti, dy fod yn Dduw hawdd dy gael mewn cyfyngder?
Wrth gwrs dy fod Ti:

> 'Mae sôn amdanat Ti mhob man
> Yn codi'r gwan i fyny'.

Ond wedi deud hynny, ydi o'n deg dy anwybyddu pan fo popeth yn
iawn, a'th anghofio?
Dy gadw di'n dwt mewn bocs ac yna'i agor pan fo'r galw. Mae
hynny'n mynd dan fy nghroen i, Arglwydd.
Mae na ormod o bobl y briodas ffansi neu'r rhai sy'n gneud ffys a
ffasiwn o fedydd, na welir mohonyn nhw wedyn yn galw ar Dy enw,
oni bai fod angladd a phrofedigaeth yn y teulu.
Be' 'di hyn ond manteisio arnat ti? Mae isio gras hefo nhw.

Be' ddwedaist ti?

Ai dweud mai gras ydy cariad at bobl annheilwng nad ydyn nhw yn ei haeddu?

Ai dweud fod y rhain yn wrthrych tosturi'n fwy na chondemniad.

Fod eu cyflwr yn waeth na'u hangen?

Wyt ti am i ninna' edrych arnom ein hunain mewn drych?

Arglwydd, maddau i ni am feddwl y gallwn wneud fel y mynnom â thi. Ein bod mor hurt a ffôl i gredu y gellir dy roi Di, Arglwydd y cread, mewn bocs.

Maddau i ni am weld y brycheuyn yn llygaid ein brawd, a thrawst yn ein llygaid ein hunain.

Down atat yn ostyngedig, yn wylaidd ger dy fron. Maddau ein gwendid yn gweld beiau eraill ac yn ddall i'n hangen ein hunain.

Arglwydd, fel ag yr ydym, derbyn ni.

Amen.

DARLLENIAD: Actau 19: 24-29 ac Eseia 40: 18-23.

EMYN: 453.

Y BREGETH FWYA'

Er cof am Tom Nefyn

Bu was gwir heb seguryd – i'w Arglwydd
Dan eurglod ac adfyd,
Ac o'i bregethau i gyd
Y fwyaf oedd ei fywyd.

(William Morris yn *Canu Oes*)

Diolch i Ti, Arglwydd fod gan bawb rywbeth i'w 'neud a'i gynnig yn
dy deyrnas. Dy was Paul ddeudodd ganrifoedd yn ôl fod gan bawb
ei ddawn a'i le. Nid yr un ydi cyfraniad pawb. Nid pawb fedr siarad
yn gyhoeddus, ac eto, fe ddylai pawb ohonom ni fod yn bregethwyr.
Na, mi wn na fedr pawb ddim wynebu cynulleidfa a sefyll mewn
pulpud. Sôn am bulpud yn symud 'dwi, Arglwydd. Pulpud ar ddwy
goes, pulpud yn cerdded.
Nid pregethu drwy eiriau ond . . .
drwy esiampl.
Nid y deud ond y g'neud.
Arglwydd tro ein ffydd yn ffordd o fyw, fel y gwelir ein cyffes mewn
cymwynas a'n credo mewn caredigrwydd.
Os nad oes gennym ddawn llefaru defnyddia'n llaw.
'Pan fo'r tafod dan glo defnyddia'n dwylo'.

'Cymer Di fy nwylaw'n rhodd,
Byth i wneuthur wrth dy fodd'.

Weithia' mae'r dwylo'n siarad yn well na'r genau, fel bo ein pregeth
yn weithred a'n bywyd yn glod i Ti.
Mi fyddai'n braf petai rhywun ond yn deud unwaith iddyn nhw dy
weld Di ynom ni, heb i ni siarad yr un gair, ac eto wedi deud y cyfan
heb lefaru o gwbl.
Fe ddywedwyd hyn am un o efengylwyr mawr ein canrif

'Ac o'i bregethau i gyd
Y fwyaf oedd ei fywyd.'

Gobeithio y dywedir hefyd amdanom ni i eraill drwyddom ni dy weled Di,

> '. . . dyro fod
> Ein gwaith a'n gweddi er dy glod.'

Amen.

DARLLENIAD: Ioan 13: 1-17.

EMYN: 220, 530.

Newid Byd

Anodd, mor anodd inni – yw newid
Y Nhw a'u drygioni;
Anodd, nes gall daioni
Duw o'i nef ein newid Ni.

(Geraint Lloyd Owen)

Mae 'di newid byd arnom, Arglwydd. Tydi petha' ddim fel ag y buo nhw. Nac ydyn' wir.

Pobol a'r barrug ar eu penna' sy'n y capel erbyn hyn, neu rai heb wallt o gwbl, ac mae'r rhain yn lleihau hefyd.

Wrth gwrs mae'n wefr gweld ambell i ŵr neu wraig ifanc yn y sêt fawr. Diolch amdanyn' nhw, ond mae nhw'n brin.

Ac mae'n capeli ni yn honglad o lefydd mawr i griw bach. Fe wyddost o'r gorau fod angen mwy o bres nag sy'n y pwrs i'w cynnal.

Ydi, mae 'di newid byd.

Be 'nawn ni Arglwydd?

Os yw'r ysbrydol yn waeth, mae'r materol os rhywbeth yn well.

Diolch am forynion y gegin, peiriannau sy'n ysgafnhau gwaith gwraig y tŷ.

Diolch am dechnoleg diwydiant sy'n lleihau wythnos waith, fel nad yw gwaith a gorffwys bellach wedi mynd yn un.

Diolch am ddyfeisiadau sy' – sy' be' Arglwydd? Sy'n creu diweithdra, diflastod, undonedd, unigrwydd, fandaliaeth a phoen, ac yn lladd gwreiddioldeb a dychymyg chwarae'r plant?

'Dyw pethau ddim fel y buo nhw'n faterol chwaith, yn well a gwaeth 'run pryd.

Arglwydd, ni welir newid o fath yn y byd yn faterol nac ysbrydol heb yn gynta' ein newid ni.

Ai dyna ddwedi Di? Os felly glanha ein c'lonnau o bob hunanoldeb fel bo lle i'th gariad Di.

Newidia'n byd drwy ein newid ni. Anghofiwn ninna' am newid byd,

yr hyn a fu a'r newid am a ddaw a meddwl am dy garu Di.
O'th garu, yn ddiarwybod bron bydd newid byd.
O! Dduw, newidia ni.
Amen.

DARLLENIADAU: Jeremeia 18: 1-4; Mathew 20: 20-28.

EMYN: 259.

GOLEUA DI . . .

Duw'r Goleuni

Harddach yw'r Crist na'r wawrddydd, Hon a dry
Awr drist yn lawenydd,
Nos ddudew'n fore newydd
A niwloedd oes 'n olau dydd.

(John Pinion Jones)

Arglwydd, diolch i Ti am wyrth y deffro, am act yr amrant, am gael agor llygaid a gweled golau dydd.

Yng ngwawr y cread dwedaist "Bydded goleuni", a bu goleuni, a gwelaist ei fod yn dda, a bu dydd a nos, a hwyr a bore, y dydd cyntaf.

Byth ers hynny ni fethodd y wawr a dilyn y nos, ac ni fethodd nos ein hoes ninna' drechu Iesu, Goleuni'r byd:

ni ellir atal ei lewyrch,

bysedda'i ffordd drwy dwll y clo yn belydr gobaith i'r gell dywylla' yn Strangeways a Dartmoor,

llithra'n dawel dan y drws a throi llawr carchar yn dudalen wen, lân.

> 'Pan oeddem ni mewn carchar tywyll du,
> Rhoist in oleuni nefol'.

Drwy ddellt llenni'r swyddfa daw'r llafnau gwyn i hollti undonedd a syrffed gwaith y dydd.

> 'O! Aed yr hyfryd wawr ar led!
> Goleued ddaear lydan!'

Cryfach ei oleuni Ef, O! Dduw, pan fyddo wannaf, na golau neon llachar, ffals, ein byd. Mae gwawl ei olau mwyn yn ddigon rhag inni faglu'n ffordd drwy'r niwl a'r caddug du.

Arglwydd, llewyrcha felly ar ein plant, y rhai yn ieuenctid eu dydd sy'n ceisio 'ecstasi' 'r foment yn nos eu hanobaith, – caethweision 'cannabis' a 'crac' ar goll yn nhywyllwch ein hoes wyddonol 'oleuedig' ni.

Boed iddyn nhw weled golau dydd yn dy ymyl Di, Tydi sy'n Wawr y Bywyd, a ninnau'n adlewyrchu'r golau hwnnw arnynt hwy.

Maddau inni os nad felly mae.
Tybed a oes ynom wifren rydd?
Oes angen glanhau gwydr llusern ein bywydau ni?
Ai prin yr 'olew gwerthfawr drud'?
Arglwydd, gwna ni'n ddisgyblion y seren fore, toriad gwawr a golau dydd.
Iesu, Goleuni'r byd, O! Deffra ni.
Amen.

DARLLENIADAU: Salm 119: 105; Ioan 8: 12; Ioan 12: 35-36; Mathew 5:14-16

EMYNAU: 45, 881.

GWEFR GAIR A GWERTH LLYFR

Camp William Morgan

O'i hagor cei drysorau'n – y gyfrol,
Gwefr yw canfod perlau
Ein hiaith, nid rhyw fratiaith frau,
A chael aur rhwng ei chloriau.

(Emrys Roberts)

Ein Tad Nefol Ti wyddost fel tad be' sy'n g'neud aelwyd, ei chroeso, ei theulu a'i thân, a rhywsut mae'r silff lyfra' hefyd mor hanfodol â bwrdd y gegin.
'Nid ar fara'n unig y bydd byw dyn'.
Diolch am gael geiriau dy enau yn llyfr – yn llyfrgell o lyfrau.
Yr un yw ein diolch am gewri llên, yn arbennig mab y Wybrnant, a roddodd inni lyfr y llyfrau yn yr iaith Gymraeg.
Diolch am lyfrau, Arglwydd, rhai sanctaidd a seciwlar.
Yn wir llyfrau o bob math, ac mae arogl llyfrgell a'i chynnwys yn llesmeiriol bron. Daw gwefr wrth anadlu llyfr, ei gyffwrdd, ei anwesu a byseddu ei dudalennau drwyddo draw.
Rhown i'n plant deganau cyn iddyn nhw ddysgu siarad. Arglwydd, rhown iddynt hefyd lyfrau cyn dysgu darllen.
Gwyn fyd y plentyn sydd â llyfr yn ei law, caiff ei deimlo, ei anadlu a bodloni ysfa ei fysedd a throi'r tudalennau o un i un. Bydd llythrennau'n gyfaredd i'w lygaid, a ffurf pob llythyren mor bwysig â sain cytseiniaid i'w glust.
Sawl cenhedlaeth, Arglwydd, wirionodd ar Lyfr Mawr y Plant, a theulu'r buarth a Sion a Sian a'u cenawon yn gymeriadau byw.
Mor llwm fyddai bywyd heb lyfr i blant ac oedolion – mor llawn yw bywyd o'u cael, lyfrau o bob math. Cael blasu realaeth lledrith y 'Seren Wen ar gefndir gwyn' a ffantasi sawl hunangofiant.
Geiriau ar bapur yn tanio'r dychymyg; miniogi'r meddwl; sbarduno brwdfrydedd; ysgogi cefnogaeth ac argyhoeddi'r enaid.
Diolch Arglwydd, am lyfrgell 'Y Llyfr'.
Amen.

DARLLENIAD: II Timotheus 3: 14-17,

EMYNAU: 284, 279.

43

PELL AC AGOS

Wrth law o hyd

Ar rawd o fynych lithriadau – a mi
ymhell ar grwydriadau
agos yw Duw y Duwiau,
ni all Ef byth ymbellhau.

(Einion Evans)

Ti greawdwr ein daear, diolch am fannau hyfryd a phrydferth ein byd, llefydd i ymlacio ynddyn nhw.

Na, dwi ddim yn sôn am y Costa Brava neu'r Costa Verde a llefydd fel Tenarife ac ati. Sôn ydw i am lefydd nes adra o'r hannar, llefydd sy' wrth ein hymyl, ac eto yn ddiarth i ni.

Faint ohonom ni fu yng Nghwm Allt Cafan 'lle mae'r haf yn oedi'n hir –

Naddo, naddo wir?'

Dydi'r rhan fwyaf o bobl Pen Llŷn, Arglwydd, ddim wedi croesi'r Swnt i Ynys Enlli. Mae gweld yr ynys o'r tir mawr yn ddigon ganddyn nhw. Ac mae'r un peth yn wir am drigolion troed yr Wyddfa. Mae'r copa mor agos ac eto mor bell.

'Rwyt Titha, Arglwydd yn rhyfeddol o agos atom a ninna 'run pryd yn bell oddi wrthyt Ti.

Maddau ein bod yn fodlon edrych i'th gyfeiriad heb fentro atat.

Mae'r olygfa o ben y Wyddfa yn ddiguro a heb ei bath, ac mae'r fordaith i Enlli a throedio'r ynys yn fythgofiadwy. Ŵyr neb be' gollwyd heb iddyn nhw ddringo'r mynydd a chroesi'r swnt. 'Dyw edrych o bell ddim yn ddigon.

Arglwydd, mae peth wmbredd o hysbysebu i ddenu pobl i Gosta Bravas ein byd. Gwna ni'n hys-bys i ddenu pobl atat Ti.

Y bobl sy' mor agos a phell, y rhai na wyddant be' mae nhw 'di golli. Boed ein hymwneud ni â nhw yn ddigon i roi'r awydd yn eu c'lonna i'th geisio Di. Gwna hi'n bosib iddyn nhw weld golygfeydd dy deyrnas Di yn ein llygaid ni.

Gwna ni'n hysbysebion effeithiol i ddwyn y pell yn agos a'r agos yn nes.
Fuost Ti yng nghwmni'r Arglwydd,
Naddo, Naddo wir? Paid ag oedi'n hir.
Amen.

DARLLENIAD: *Effesiaid 2: 13, 17-22.*

EMYN: 444

'PEN-GLIN CAMEL'

Rho Enw Inni

Iesu glân, os gweli ynom – ryw rinwedd
Rho ei enw arnom,
Rhyw ddawn, a dardd ohonom
Yn olud bywyd tra bôm.

(John Gwilym Jones)

Ein Tad, fel 'na'n union y byddwn yn dy gyfarch – Ein Tad, neu O! Dduw, ac O! Arglwydd. Weithia' byddwn yn sôn amdanat fel 'Awdur Bywyd' neu y 'Crëwr' ac ati. Dro arall yn cyfeirio atat fel y 'Bod Mawr' a'r 'Brenin Mawr'. Rhyw fath o lysenw ydy 'Bod Mawr', ond llysenw sy'n annwyl iawn, diolch am hynny, ein Tad. Mae 'na lysenwa' creulon a llysenwa' gwawd, fel gwyddost ti'n dda. Mae ambell un yn cael enw'i fam neu 'i nain yn gynffon i'w enw'i hun. Tydi hynny, Dad nefol, ddim bob amser yn beth dymunol i'w 'neud. Lleill wedyn yn cael enwau bro, stryd a thŷ, crefft a galwedigaeth wrth eu henwau bedydd. Fe alwyd dy fab yn Iesu o Nasareth a Iesu'r Saer.

Oedd meibion Sebedeus, Iago ac Ioan, yn gwylltio'n fuan, Arglwydd? 'Meibion y daran' y galwyd rheiny!

Medrem feddwl am sawl llysenw i'w roi ar Jiwdas, ond enwau gwawd fyddai'r rhain. Ai enw gwawd roed i Iago, a'i alw'n 'Ben- glin Camel'? Go brin y byddai'n sôn yn ei lythyr am bwysigrwydd gweddi, oni bai yr âi ar ei liniau'n aml ei hun. Teyrnged nid gwawd yw llysenw o'r fath.

Mae'n rhyfedd, Ein Tad, fel yr aeth llysenwau dirmyg yn enwau edmygedd 'mhen amser.

Protestio wnaeth Martin Luther ganrifoedd yn ôl. Faint o Brotestaniaid ŵyr hynny heddiw, Arglwydd. Gwrthod cydymffurfio wnaeth y 'Sentars' – rhai annibynnol eu barn, ac yn falch, 'mhen amser o'r enw. 'Run peth y 'Methodistiaid' yn mynnu rhoi trefn ar gredo a chyffes a ffydd. Hen dacla' yn ôl pobl Antioch oedd ffrindia' Iesu, y Crist-nogion' 'na, amser maith yn ôl.

Ein Tad, braint yw cario dy enw heddiw, boed hynny o ddirmyg a

gwawd, 'hen betha' a 'phobl Duw 'na', 'John sant' neu 'Jên Ysgol Sul',
'Nel Haleliwia' neu 'Wil Amen'.

> 'Da yw y groes, y gwradwydd,
> Y gwawd, a'r erlid trist,
> Y dirmyg a'r cystuddiau,
> Sydd gyda Iesu Grist.'

– Be 'di ots felly am lysenw. Diolch, ein Tad am lysenw Iago – un da
yw penglin camel.

> '. . . yn ei groes mae coron
> Ac yn ei wawd mae bri'.

Amen.

DARLLENIAD: I Corinthiaid 1: 26-31.

EMYN: 529.

47

YN IFANC BYTH

Rhoi'r enaid uwchlaw'r hunan

Byw i'n hunan, a byw'n heini – yw'r un
dôn gron geir ei throelli.
Ganwaith mwy pwysig inni
Yw naws ein heneidiau ni.

(Einion Evans)

Arglwydd, ydy'r ysfa i oedi henaint yn bod erioed, ynteu ai chwiw a
mympwy'r ganrif hon yw ceisio bod yn ifanc fyth?
Trotiwn yn yr un fan ac i ffwrdd a ni, ymlacio'n llwyr ac anadlu'n hir.
Breichiau ar led a'u troi'n hanner cylch, i fyny a hwy yn uwch ac yn
uwch.
Rhaid wrth ymarfer corff, erobics ar nos Iau; bwyta'n ddoeth a
chadw'n iach sy'n arfer heb ei ail. Addolwn yn y gampfa, ni cheir ei
thebyg hi. Y 'gym' yw'r deml erbyn hyn, yno'r ymgrymwn ni.
Rhaid cadw'n ifanc, Arglwydd, wiw inni fynd yn hen;
yn iau yr awn wrth fynd yn hŷn a hynny gyda gwên. Rhown golur ar
y gruddiau, a hawdd yw lliwio'r gwallt; cerddwn yn sionc ar ysgafn
droed; ni welwyd 'rioed ein bath.
Rhag cwymp y dail ac oeri'r gwaed, O! Arglwydd gwared ni,
a boed ein bywyd ar ei hyd yn wanwyn bythol ir.
'Gwrando fy merch, a chlyw fy mab, nid pryd a gwedd na llyfnder
grudd a'th wna yn ifanc ac yn llon. Y rhai sy'n disgwyl wrthyf fi,
hwynt-hwy sy'n ysgafn fron.
Rhof nerth i'r rhai diffygiol, a chryfder i'r dirym;
ehedant fel eryrod, ânt heb flino dim.
Er dyfod hydref yn ei dro a'r barrug oer yn drwm, yr ysbryd bery'n
ifanc byth, cans ni heneiddia hwn.'
Arglwydd, rho inni'r ysbryd bytholwyrdd, heneiddiwn ninnau wedyn
gyda gras, heb boeni mwy am bryd na gwedd na henaint pan y daw.
Digon fydd disgwyl wrthyt Ti ac aros ynot, y tragwyddol ifanc Dduw.
Amen.

DARLLENIAD: Eseia 40: 28-31.

EMYN: 262.

GWYN EU BYD

A gweld mwg aelwyd mam
Lloniant i rai o'm llinach – ydyw gweld
y gwych a'r rhagorach.
Gwn bod harddwch amgenach
yn bod mewn hen bethau bach.

(Einion Evans)

Cyhoeddwyd ef eto eleni, Arglwydd, llyfr cofnodi gorchestion popeth
sy'n ein byd, hyd a lled, dyfnder ac uchder, maint a nifer yr oll sy'n
byw a bod. Mor ddibwys a phitw manylion y record a dorrwyd, maint
y llygoden fwya'n y byd a'r eliffant lleia' sy'n bod, y brenin hyna' a'r
barbwr ieuenga', y rhedwr cyflyma' a'r neidiwr pella', yr od a'r
gwahanol bob tro.
Y gwahanol bob tro, Arglwydd, a'r anghyffredin yn mynd â'n bryd.
Mor rhyfeddol yw symlrwydd dy greadigaeth Di a ninnau'n rhy ddall
i synnu,
Awn heibio i'r machlud heb weld ei hud,
ni welwn berlau gwlith y bore chwaith, rhy syml i dynnu'n sylw ni.
Sawl cyfle gollwyd, Arglwydd?
Sawl perth a losgwyd heb ei difa, a heb ei gweld gennym ni?
Y 'sawl sy'n gweld y rhosyn gwyllt'* a wêl dy ryfeddodau Di.
Arglwydd, mor hynod yw'r di-sylw yn dy greadigaeth fawr:
Y Cristion cyffredin wrth ei waith; y cymwynaswr cudd; y lefain na
welir yn y blawd; y weddi na chlywir yn y stryd. Nid yn y siou a'r
syrcas y gwelir dy ryfeddodau Di. Ni welir hwy mewn arddangosfa
chwaith. 'Does angen utgorn, band na ffanffer na gorymdaith ar y
rhain – cyffredin ydynt oll fel briallen bôn clawdd; naturiol megis
chwiban gwynt yn nhwll y clo a'r afon ar ei thaith i'r môr. Ni cheir eu
henwau hwy yn llyfr cofnodi gorchestion byd, eu hyd a'u lled a'u nifer
maith.
Dienw yw'r anweledig rai, deiliaid dy deyrnas Di.
Cyflawni wnant d'ewyllys Di o ddydd i ddydd heb ddisgwyl clod na
bri.

* Teitl llyfr R. Goodman Jones, *I'r sawl sy'n gweld y rhosyn gwyllt*.

49

Mae gorchest rhain yn fwy na champ a rhemp y byd i gyd, ac eto ni hawliant bennawd bras tudalen flaen y wasg. Ta waeth, ni faliant ddim, dirodres ydynt oll.

Arglwydd, gwyn fyd y sawl sy' yn eu plith, yn un ohonynt hwy. A welir eu tebyg ynom ni? Pwy ŵyr? O! Gwyn ein byd os felly mae. Amen.

DARLLENIADAU: Mathew 5: 13; Luc 13: 20.

EMYNAU: 484, 485.

'DEUWN YN LLON . . .'

Llawenhewch

I'r rhai a brofodd o rin – yr Iesu
nid yw'n drosedd chwerthin,
cofier fod gan bererin
hawl i hwyl a phlygu glin.

(Einion Evans)

Comedïwr

Y mae Ef yn nawns y môr, – a hwyl iach
Plant a'u chwerthin didor
Ar iard yw comedi'r Iôr, -
Mae'n ein hemyn a'n hiwmor.

(Emrys Roberts)

Ein Tad, diolch am emynau llon ac ysgafn; rhai siriol a sionc -
'Deuwn yn llon at orsedd Duw'
'Caraf yr haul sy'n wên i gyd,
Duw wnaeth yr haul i lonni'r byd'.
Canu 'fel cana'r aderyn' a gwenu fel 'seren loyw ei bri',
'. . . chwarae'n llawen
Yn yr heulwen iach.'
'Plentyn yn '. . . llawenhau
Rhyw gornel bach o'r byd.'

Diolch i Ti ein Tad am afiaith mewn emyn a chân, am lawenydd dy
deyrnas, am gael deffro a chodi'r bore gyda gwên a chwerthin am ben
ein hunain.

Pan fo'r ysbryd yn isel, diolch am ffisig hiwmor a therapi gwên.

Ein Tad, credwn fod gwên yn amlach na gwg ar dy wyneb Di.

Oes chwerthin yn y nefoedd? Siŵr o fod.

Chwerthin wnes Ti oherwydd ein ffraeo a'n ffolineb ni, chwerthin
wrth weld plentyneiddiwch cenhedloedd byd.

O na bawn yn fwy tebyg, yn gwisgo gwên a gwylltio llai.

Pa les bytheirio, Arglwydd, cynhyrfu a chodi pwysau gwaed?

'Pam byddaf fi yn drist
Tra caffwyf weled ŵyneb
Siriolaf Iesu Grist?'

Gwyddai Iesu am drysor direidi, hyfrydwch hiwmor a gwerth gwên.
Pwy ond efe a dynnai goes ei genedl ei hun – pa Iddew wrthodai
wledd am ddim, a phrynu tir a gwartheg heb eu gweld! Mor gomic eu
hesgusodion hwy bob un.

Mor ddigri hefyd ei gartŵn o'r gŵr cyfoethog sy'n caru pres yn fwy na
dim – anoddach iddo fynd i'th deyrnas Di nag yw i gamel wthio'i hun
drwy grau y nodwydd ddur.

Gwell cosi gyda gwên na tharo gyda gordd.

Ein Tad, diolch am glustog hiwmor pan ddaw ergydion, diolch am
wên ar ŵyneb a llawenydd gair.

'Deuwn yn llon' at dy orsedd Di.

Amen.

DARLLENIADAU: Luc 14: 15-24; Luc 18: 18-25.

EMYN: 788.

'DELED DY DEYRNAS'

'Deled Dy Deyrnas . . .'

Arnom mae pwysau'r Deyrnas, – Ni ydyw
Cenhadon Dy bwrpas,
Dy reng ym myddin Dy ras,
Dy weithwyr mewn cymdeithas.

(John Pinion Jones)

Arglwydd da, mae'n anodd credu dy fod yn ymddiried gwaith dy
Deyrnas i ni. Cofiwn i'th Fab roi comisiwn i'w ddisgyblion gynt i
ledaenu'r Newyddion Da drwy'r holl fyd, a thrwy'r canrifoedd hyd at
heddiw fe wnaed hynny gan griw digon rhyfedd, a sawl deryn brith
yn eu plith.

Rhai digon od oedd y rhai alwodd Iesu i'w ganlyn gynta 'rioed.
Fyddai neb call yn dewis pysgotwyr anllythrennog yn ddisgyblion, a
beth am Lefi'r casglwr trethi hwnnw, roedd pawb yn edrych lawr eu
trwynau ar ei deip o, fedrai neb ei drystio. Pedr wedyn oedd wedi
brolio y byddai'n gwneud unrhyw beth i'w feistr, hyd yn oed marw er
ei fwyn petai rhaid. Pan ddaeth ei gyfle doedd ganddo mo'r asgwrn
cefn na'r gwadnau traed i ddweud ei fod yn un o'i ffrindiau, a'i wadu
o flaen rhyw fymryn o forwyn. Byddem yn meddwl ddwywaith cyn
rhoi cyfrifoldeb o bwys ar rai fel hyn, ac yn ôl yr hanes roedd 'na
butain ymhlith ei ddilynwyr. Pa gymhwyster oedd ganddo Ef ei hun i
adeiladu teyrnas fyd-eang? Wedi'r cwbwl doedd ond yn saer
cyffredin. Medrai 'neud offer amaethyddol, iau i'r ychen, aradr bren,
celfi tŷ a hyd yn oed ddrysau, ffenestri a thrawstiau i'r to, ond
adeiladu Teyrnas, go brin! Chafodd o 'rioed goleg ac addysg bellach.
Roedd angen ysgolheigion a byddinoedd i gynnal a chadw'r Deyrnas
Rufeinig, ac i feddwl fod dy fab Iesu am greu teyrnas fwy na honno
hyd yn oed, gyda help deuddeg o rai digon di-lun. Wel, un-ar-ddeg o
gofio i Jiwdas ei werthu a'i fradychu i'w elynion. Rheini wedyn i'w
funud olaf ar y groes yn ei wneud yn destun sbort, a'i goroni â choron
ddrain yn glown o frenin ar ei deyrnas anweledig. Ond fe ledaenodd
ei deyrnas i bedwar ban y byd ac mae ei deiliaid yn dal i gynyddu.
'Dyw'r Deyrnas Rufeinig yn ddim ond adfail o Golisiwm a chyrchfan

twristiaid yng Nghaerleon a Chaerfaddon. Rydd neb Nero yn enw ar blentyn bellach dim ond ar anifail, ci neu darw.

Rhyfeddwn fel y gwnaed pysgotwyr dynion o'i ddilynwyr cynta', fel y gwnaed Seimon Pedr yn graig o gadernid a Magdalen yn lân a phur. Tyfodd ei deyrnas dros nos a throwyd Saul y sgowndral creulon yn sant caredig, a chysegrodd ei ysgolheictod gan fynd â'r Newyddion Da i bob cyfeiriad.

Arglwydd da, diolch i Ti am ymddiried gwaith dy deyrnas heddiw i rai fel ni, rhai cymysg o ddoniau, galluog a di-addysg, boed yn athrylith neu syml-gyffredin, weithiau'n eofn weithiau'n llwfr. Deuwn o bob gradd a dosbarth gan wybod er yn annheilwng dy fod yn defnyddio rhai fel ni, a thrwyddom y daw eraill i'th Deyrnas.

Ein Tad, yr hwn wyt yn y nefoedd, deled dy deyrnas, trwyddom ac ynom er dy glod.

Amen.

DARLLENIAD: Mathew 3: 18-22.

EMYN: 796.

OES, MAE AMSER . . .

Amser

Mae amser i gân aderyn, – amser
I ymson a gofyn,
Amser Duw ac amser dyn -
Mae nwyd ym mhob munudyn.

(John Pinion Jones)

Gan brynu'r amser . . .

A ŵyr gyflymdra'r oriau – a ŵyr werth
Parhad y munudau;
Fe ŵyr hwn, hefyd, fawrhau
Y goludog eiliadau.

(Derwyn Jones)

Arglwydd, mae pawb fel petaent ar fynd o hyd – rhyw hast ar bobl
byth a beunydd – 'Helo, sut ydach chi?' a ninnau'n ateb – 'Braf eich
gweld chi, ond rhaid ichi fadda i mi dwi ar goblyn o frys . . .'
Ia, dyna'n hanes ni yn yr oes brysur 'ma – 'Mi alwa' i eto' ydy'n aml,
gan feddwl gwneud hynny fory, ac mae'r fory hwnnw yn mynd yn
drennydd, a thrennydd yn dradwy, ac ni ddaw byth.
Maddau ein bod ar drot o hyd, dim amser i un dim, er bod dy Air Di
yn ein dysgu bod amser i bopeth – amser i wylo, ac amser i chwerthin,
amser i alaru ac i ddawnsio, amser i rwygo ac amser i drwsio. Fe
ddywed hefyd fod amser i ymatal. Ymatal ac ymlonyddu. Dau beth
anodd iawn eu gwneud, Arglwydd, yng nghanrif y rhuthro mawr. Fe
deithiwn o un cyfandir i'r llall mewn mater o oriau. Mae'n haws i rai
fel ni sbarduno 'mlaen nag arafu ac ymlonyddu.
Maddau i ni nad oes dydd o orffwys mewn wythnos bellach i'r
mwyafrif ohonom; a bod y seithfed dydd mor brysur â'r chwech arall
yn ein hanes. Mae'n haddoldai mor wag a'r arch- farchnadoedd mor
llawn ar y Sul.

'Nef a daear, tir a môr
sydd yn datgan mawl ein Iôr,'

55

Ac ar y llaw arall mae 'na lawer ohonom heb fod yn y 'canol yn rhoi clod'. Yng nghanol prydferthwch dy gread heb amser i lonyddu a rhyfeddu, a rhy flinedig i'w werthfawrogi. Gwna i ni sylweddoli, Arglwydd da, fod sawl bendith yn dod i'n rhan wrth i ni arafu, llonyddu a phlygu ger dy fron. Mae dy fendith Di yn dri-phlyg. Rwyt yn ein hadfywio'n ysbrydol, yn feddyliol a chorfforol.

Diolch i Ti am gyfle ar y seithfed dydd i'th addoli yn dy dŷ. Ymlonyddu gyda'n gilydd ger dy fron. Yr un pryd bwrw heibio ludded yr wythnos aeth heibio, ac ymlacio oddi wrth y tyndra a'r bwrlwm a fu.

'Ymlonyddu a gwybod mai Tydi sydd Dduw'

a thithau'n atgyfnerthu pob un ohonom yn gorff, meddwl ac ysbryd i wynebu'r wythnos a ddaw. Arglwydd da, diolch am amser yng nghanol yr hastio mawr i gael hoe a hamdden,

• yng nghanol y rhuthro, rhyfeddu mewn myfyrdod,
• yng nghanol y mynd a'r dod, ymatal, arafu a'th addoli.

Diolch am amser i blygu glin ac amser i godi a sefyll, amser i weddïo ac amser i wasanaethu.

Cynorthwya ni i dderbyn pob dydd yn ei dro a rhoi amser ar ei ddechrau a'i derfyn i Ti.

Ymlonyddwn a gwybod mai Tydi sydd Dduw.

Amen.

DARLLENIADAU: Salm 46: 10; Salm 62: 5-7; Salm 95: 6-7.

EMYN: 772.

GWRANDO

Gwrando am lais Duw

Mae orig pan fo'n miri – a'i gadarn
Esgidiau'n distewi,
A daw'n eu siffrwd inni
Dy denau sandalau Di.

(John Gwilym Jones)

'O! Llefara, addfwyn Iesu'.
Ein Tad, dysga ni i weddïo. Gwna ni sylweddoli nad siarad yn unig
yw gweddïo.
Mae angen y glust arnom yn ogystal â'r genau.
Byddai'n dda i ni gofio yr hyn ddywedodd dy was Samiwel gynt:
'Llefara, canys y mae dy was yn gwrando.' Yn rhy aml fel arall y
d'wedwn ni, gofyn i Ti wrando am ein bod ni'n llefaru.
Cynorthwya ni i fod yn glustfyddar i'r holl synau sy'n dod i'n clyw -

'O! Distewch, gynddeiriog donnau;
Tra fwy'n gwrando llais y nef,'

Diolch dy fod yn dal i lefaru. 'Dwyt Ti ddim yn fud, ni sydd yn fyddar.
Dysg ni wrando wrth weddïo.

'F'enaid gwrando
Lais tangnefedd pur a hedd.'

Llonyddu, distewi a gwrando, ac o wrando, clywed – clywed sŵn dy
galon ddwyfol yn curo gan mor agos wyt i ni, a siffrwd ymyl dy wisg
wrth i Ti nesu atom.
Gwrando mewn distawrwydd. Gwrando ar dawelwch yn llefaru.

'Yn y dwys ddistawrwydd
Dywed air, ein Duw,'

Nid yn y distawrwydd cymaint, ond

'Yn y dwys ddistawrwydd,
Dywed air, ein Duw,
Torred dy leferydd
Sanctaidd ar ein clyw.'

Boed i ni

'. . . hiraethu am gael clywed -
Un o eiriau pur y ne','

'Gad in glywed sŵn dy eiriau
Awdurdodol eiriau'r nef.'

'Yn y dwys ddistawrwydd,
Dywed air ein Duw,'

Mae angen i ni siarad llai a gwrando mwy. Am hynny yn nhawelwch dy dŷ rhown glust i Ti.
(Ymdawelu'n llwyr a gwrando.)
Yn awr, Ein Tad, wrth ymadael a chamu o dawelwch dy bresenoldeb i ganol dwndwr byd, boed i ni dystio a chyhoeddi i ni yma glywed rhyw . . .

'. . . dyner lais
Yn galw' *arnom ni.*

Ac nid yn unig i ni glywed dy lais, ond i ni hefyd ddod atat

'. . . yn sŵn y llais –
Hyfrytaf lais y nef.'

'Yn y dwys ddistawrwydd
Dywed air ein Duw,'

Llefara, Arglwydd, 'rydym oll yn gwrando.'
(Ennyd o dawelwch yma)
Amen

DARLLENIAD: I Samuel 3: 1-10.

EMYNAU: 560, 502.

DRINGO'R MYNYDD

Dringo'r Mynydd

I lygaid yr enaid, yr hyn – na welir
Uwch niwloedd y dyffryn
Yw y gwneir yn ddisgleirwyn
Wyneb yr Oen ar y Bryn.

(John Gwilym Jones)

'Dros fynyddoedd y perlysiau
Deued awel nefol haf.'

Arglwydd cynorthwya ni i –
'Edrych i'r mynyddoedd pell.'

Dyrchafwn ein llygaid tua'r mynyddoedd, a chodi ein golygon yn uwch na'r Bannau, Pumlumon, Cadair Idris, yn uwch na phob copa yn Eryri. Edrych i gyfeiriad 'Mynyddoedd y Perlysiau' ac o droi ein golygon tuag atynt caniatâ i'r awelon hyfryd ddod â'r persawr i'n ffroenau.

'O! Anadla
Nefol awel, arnom ni.'

Mae'n ddigon i ni gael edrych tuag at fynydd dy sancteiddrwydd heb sôn am geisio'i ddringo. Does 'run ohonom yn abl i wneud hynny, a phrun bynnag nid ar wadnau traed ond ar ein gliniau'n unig y gellir gwneud hyn. Er yn annheilwng caniatâ i ni drwy dy nerth Di geisio gwneud hynny yn awr.

'Dringo'r mynydd ar ein gliniau
Geisiwn, heb ddiffygio byth.'

Fe wyddom o'r gora' nad oes 'run ohonom yn ddigon da; yn ddigon pur o galon a glân ei feddwl i anadlu'r awelon hyn a chael profiad penymynydd, mae'r awelon yn rhy bur a sanctaidd i'n bath ni.

Ac eto, o bryd i'w gilydd ar hyd y canrifoedd 'rwyt wedi caniatau i rai fel ni, er yn annheilwng, gael yn awr ac yn y man brofi profiad prin penymynydd.

Byddai eiliad o brofiad penymynydd, ac un anadl yn ddigon i'n g'neud yn bur o galon, ac yn blant y Gwynfydau.

59

'O! Anadla,
Nefol awel, arnom ni.'
Gwelaist yn dda unwaith i roi'r profiad hwn i griw eitha tebyg i ni.
Rhai digon cyffredin oeddan nhw. Cawn eu hanes wedi eu cloi eu
hunain mewn atig yn un o dai strydoedd cefn Jerwsalem. Y drws a'r
ffenestri ar glo rhag ofn y gelynion a groeshoeliodd eu Harglwydd.
Yna ymddangosodd y Meistr, eu Harglwydd yn eu plith, ac yn ôl dy
Air 'Efe a anadlodd arnyn nhw'.
Arglwydd da, tro'r lle hwn yn oruwch ystafell i ninna' hefyd.
'Ymddisgleiria yn y canol' ac anadla arnom ni.
'O! Anadla,
nefol awel, arnom ni.'
Dyro i ni brofiad prin penymynydd, ac nid yn unig i ni,
'O! Anadla
Nefol awel, dros ein byd', gan gychwyn yma'n awr.
Dyrchafwn ein llygaid, a cheisio dringo ar ein glinia atat Ti.
'Deued yr awelon hynny, effaith ysbryd gras i lawr.'
Anadla arnom ni.
Amen.

DARLLENIAD: Salm 121.

EMYNAU: 264, 776.

PRYDERU NID AM YR ARCH OND AM Y CRUD

Pryderu am y crud

Os daw arch drist i erchi – i'w fyd Ef,
Na foed in orboeni,
Deunydd gofidiau inni
Yw dod i'n byd grud a'i gri.

(Geraint Lloyd Owen)

Arglwydd, oedd hi cystal ers talwm ag y mae rhai yn mynnu ei bod?
Ai goreuro'r ddoe pell a wnawn, a phellter amser yn ein g'neud yn
ddall i'r hyn oedd yn ffaith?
Go brin fod celwydd ar gerrig beddau, mae meini'r meirw'n gofnod
byw o'r hyn a fu:

- mae carreg fedd ym mynwent Penstryd a saith o blant oddi tani;
- ym mynwent Macpela aeth henwr i'w fedd yn ddeugain oed; mor
  aml y digwyddai hynny yn y dyddiau 'da' mhell yn ôl;
- ar lethrau'r Rhondda mae beddrod teulu a wyddai ddioddef o'r
  tyffoid a'r diciâu;
- bu sawl damwain mewn pyllau glo a arweiniodd nifer fawr i'w
  diwedd 'mhell cyn pryd;
- aeth llwch y llechen las a llawer iawn i lwch y bedd cyn iddynt
  ddarfod magu'r plant;
- ai 'da' i un fu'n gweini tymor gynt oedd

  'dwyn ei geiniog dan gwynaw,
  rhoi angen un rhwng y naw'?

Arglwydd, ni ellir gwadu ffeithiau oer a moel ar garreg fedd.

Clodforwn nid y ddoe a fu ond y rhai a fu yn herio amgylchiadau
ddoe heb golli ffydd.

Diolchwn am yr etifeddiaeth gawsom drwyddynt hwy;

- gwared ni rhag troi yr hyn a gaed yn etifeddiaeth goll;
- pryderwn nid am yr arch a ddaw i'r tŷ ond am y crud.*

* Dywedid o eiddo'r Parchedig Gwion Jones.

'Dros Gymru'n gwlad, O! Dad, dyrchafwn gri,
Y winllan wen a roed i'n gofal ni;
. . . .
Er mwyn dy Fab a'i prynodd iddo'i hun,
O! Crea hi yn Gymru ar dy lun'.

Amen.

DARLLENIAD: II Lythyr at Timotheus 1: 1-5; 2, 14-15.

EMYNAU: 705, 718, 868.

COFIO AM YR UNIG

Cofio'r Unig

Ym mywyd llu mae awydd – a newyn
Am gwmnïaeth beunydd
Gan erfyn ar derfyn dydd
"O! na alwai ymwelydd".

(John Pinion Jones)

Ein Tad,

diolch i Ti am dy gwmni ac am gwmni'n gilydd. Nid ynys yw'r un ohonom. Er mor braf, Dad nefol, yw bod ar pen ein hunain weithiau a chael llonydd, fe fyddai'n hunllef bod felly o hyd ac o hyd. Ond mae rhai yn wirioneddol unig o ddydd i ddydd, heb fawr o neb yn galw heibio i gynnal sgwrs:

- daw'r postmon at y drws yn awr ac yn y man a llythyr yn ei law. Llythyr a anfonwyd gan yr unig ato ef neu hi ei hun;

- ac mae deud nos da neu fora da wrth gath neu gi yn well i rywun na cheisio dal pen rheswm ag ef ei hun.

Ein Tad, mor oer a gwag yw tŷ ar derfyn dydd heb yno gymar, mab na merch na neb o gylch y tân. Er cystal yw'r cyfryngau sy'n dod â lleisiau eraill i'r tŷ, serch hynny ni all y radio na'r teledu gynnal sgwrs na gwrando cŵyn.

I'r rhai a ŵyr am brofiad unigrwydd, mae sŵn y botel lefrith yn taro'r garreg wrth y drws yn fiwsig pur, a galwad cloch y ffôn yn gerddoriaeth bêr i'r glust.

Ein Tad, defnyddia yr unigrwydd hwn i'n deffro ni o gwsg ein difaterwch, a'n symud i geisio llenwi peth o wacter bywyd rhai sy'n unig yn ein plith. Oherwydd fe gawn ninnau hefyd rhyw foddhad wrth godi'r ffôn i ddweud 'helo' a sgwrsio'n ddifyr am hyn a llall.

Dro arall, curo ar y drws a galw heibio gyda gwên. 'Dyw rhoi pum munud, hanner awr neu fwy o'n hamser yn golygu fawr i ni – golyga lawer iawn i'r sawl sy'n teimlo'r diwrnod ar ei hyd yn llusgo'i draed. Os felly, awn ati'n ddiymdroi ein Tad i rannu o'n cwmnïaeth, i

fenthyca clust i wrando, a rhoi o'n hamser, gan wybod y bydd hynny yn lleihau rhyw 'chydig ar unigrwydd eu bywydau hwy.
Ond pa faint mwy dy gwmni Di, ein Tad. Boed i'th bresenoldeb Di lenwi pob rhyw gadair wag.
Amen.

DARLLENIADAU: Mathew 26: 36-46; Salm 62: 5-8; Salm 46: 1-7.

EMYN: 865.

YR ANTUR FAWR SY' I DDOD

Angau a'r Gwir Gristion

I'w aelwyd pan ddaw'r alwad – nid yw wae,
nid yw ond dechreuad
gogoniant ei esgyniad
â diléit yr Hyfryd Wlad.

(Einion Evans)

Ein Tad Nefol, mae'n gysur a chalondid mawr i ni gofio a meddwl amdanat fel awdur bywyd; am bob eiliad y byddwn yn siarad â Thi mae enaid newydd wedi dod i'n byd – baban bach wedi ei eni. Yr un modd am bob baban a enir y mae 'na enaid hefyd wedi dychwelyd yn ôl atat Ti.

Fedr yr un ohonom osgoi diwedd y daith. Fel y crud mae'r arch hefyd yn dod i'n rhan ni i gyd.

Ond beth wedyn, Dad Nefol? Ai'r diwedd ynteu'r dechrau yw marwolaeth?

Ai dweud wyt Ti fod bywyd heb doriad yn mynd yn ei flaen? Fydde' ni ddim yn siarad â thi fel hyn oni bai fod 'na fywyd tragwyddol. Tybed ai dychwelyd atat Ti yw hwnnw, a byw ar ryw lefel uwch ac mewn dimensiwn gwahanol?

Fe wyddom un peth i sicrwydd Dad Nefol, mae'r gragen, y ffrâm, y corff daearol yn darfod, ac ymhen amser yn mynd yn llwch.

Ond fedr yr ysbryd, yr enaid ddim darfod debyg fel y corff materol? Hwyrach nad lle ond cyflwr yw'r nefoedd – a ninnau ar newydd wedd yn nofio mewn cariad a hedd.

A beth am y rhai hynny Ein Tad, sy'n honni iddyn nhw am eiliad neu fflach o amser hofran rhwng dau le a symud fel pendil yn ôl a blaen rhwng dau fyd – yr un presennol a'r tragwyddol? Ai ffrwyth dychymyg yw hyn i gyd?

Nage, medda nhw, ond realaeth a ffaith, ac mae nhw'n bobl digon gonest a geirwir.

Rwyt Ti yn ffaith, cawsom dy nerth o'n mewn, teimlwn dy agosrwydd a'th bresenoldeb. Rwyt yn lapio dy hun o'n cwmpas a'n gwasgu'n dyner i'th gesail ddwyfol. Fel yr atomau bychain, welwn ni mohonyn nhw ond bu i ni brofi eu grym; felly Tithau ein Tad Tragwyddol. Yr enaid gyda Thi ydy nefoedd, a'r wefr fwyaf gawn ni byth yw'r antur fawr o groesi'r ffin a dychwelyd yn ôl at ddechrau'r daith – yn ôl atat Ti ein Tad nefol.

Tan hynny, cynorthwya ni i fyw a mwynhau bywyd y byd hwn yn llawn; byw i ryngu dy fodd i'r eitha' fel y byddwn yn barod unrhyw adeg i fynd ar yr antur fwya' un sy'n bod, trwy ac yn enw Iesu Grist dy Fab a'n gwaredwr ninnau.

Amen.

DARLLENIAD: MARWOLAETH

Dyw marwolaeth yn ddim.
Dim ond wedi symud i'r ystafell nesaf yr ydw i.
Chi ydy chi a minnau'n fi fy hun o hyd.
Mae'r hyn oeddem i'n gilydd yn aros run fath heb newid.
Cyfarchwch fi wrth fy enw,
siaradwch â mi fel roeddech yn arfer ei 'neud.
Siaradwch yn naturiol heb oslef a chryndod llais.
Cofiwch chwerthin wrth glywed y straeon digri a difyr
y byddem yn eu hadrodd wrth ein gilydd,
a'u mwynhau nhw fel cynt.
Gweddïwch, gwenwch, meddyliwch amdanaf
a gweddïwch ar fy rhan.
Daliwch ati i sôn amdanaf
a hynny heb deimlo'n drist a dwys.
Mae bywyd yn dal i olygu'r hyn ydoedd erioed.
Yr un yw bywyd o hyd,
aiff yn ei flaen heb doriad na rhwystr.
Medrwch fy nghofio os na fedrwch fy ngweld.
'Rwy'n disgwyl amdanoch, dros dro,
yn rhywle agos iawn,
yr ochr arall i'r drws.
Mae popeth yn iawn.

[*Rhydd gyfieithiad o'r Saesneg – y gwreiddiol gan Henry Scott Holland*]

RHUFEINIAID 8: 35-39.

EMYN: 880.

YN WELL NA BRAWD

Cyfaill

Cadarn o nerth a'n codai – wedi cwymp,
Brawd cu a'n diddanai;
Angor nad ymollyngai,
A tharian byth er ein bai.

(Dewi Emrys)

Arglwydd, Ti'n unig sy'n gwybod pwy gyfeiriodd gannoedd o flynyddoedd yn ôl at gyfaill sy'n glynu'n well na brawd.

Mae'n anodd credu ffasiwn beth, wedi'r cwbwl mae gwaed yn dewach na dŵr. Mae'n rhaid fod awdur y geiria' wedi bod mewn rhyw gornel go gyfyng; a hwyrach fod ei fyd wedi'i ddymchwel ac ar wasgar. Ond beth bynnag a ddigwyddodd, a pha mor arw bynnag oedd ei brofiad, y mae un peth yn sicr, roedd ei gyfaill yn werth ei bwysau mewn aur.

Ffrind felly oedd Iesu dy fab ei eisiau yng Ngardd Gethsemane, ond cysgu wnaeth yr hogia' i gyd a hwythau i fod yn benna' ffrindia' iddo. Diolch byth i Ti roi cyfle arall iddyn nhw Arglwydd. Aeth pob un ohonyn nhw wedyn drwy ddŵr a thân er ei fwyn, a rhai yn dewis dioddef a marw yn hytrach na'i wadu.

Diolch am ffrindia' o'r fath, Arglwydd:

- rhai hefo digon o asgwrn cefn i fod yn amhoblogaidd er ein mwyn;
- rhai ddywed y gwir wrthym yn blwmp ac yn blaen er mwyn ein helpu. Cariad sy'n cymell cyfaill i siarad heb flewyn ar dafod – casineb sy'n peri fod gelyn yn gwneud hynny.
- Diolch i Ti am ffrindia' sy'n aros a glynu i'r diwedd, rhai sy'n closio atom pan fo eraill yn cilio. Fedr y gwawd eitha' na'r feirniadaeth waetha' ddim lladd eu cyfeillgarwch.
  Os mêts, mêts ynte?
- Mae cyfeillion gwerth yr enw ar gael pan fo pethau'n mynd o chwith. Wnawn nhw byth edliw eu cymwynasa'.
- Mae'r orchwyl fwya' diflas yn cael ei chyflawni gyda gwên gan y rhain.

Oes, mae cyfeillion ar gael sy'n well na brawd, ac mae hynny'n ddeud go fawr.
Diolch iddyn nhw am gymryd Iesu Grist yn batrwm ac yn siampl.

'Wel dyma un, O! Dwedwch p'le
Y gwelir arall fel Efe,
A bery'n ffyddlon im o hyd,
Ym mhob rhyw drallod yn y byd?'

Cyfaill wyt Ti sy'n haeddu'i garu
'A'i glodfori'n fwy nag un:
Prynu'n bywyd, talu'n dyled,
A'n glanhau â'i waed ei Hun.'

Diolch i Ti Arglwydd am bob cyfaill a lŷn yn well na brawd.
Amen.

DARLLENIADAU: Diarhebion 18: 24; Philemon 1-25.

EMYNAU: 198, 134

Y Tymhorau

Bendithion y Tymhorau

Gaea' a roddi i'r gwreiddiau – huno
A gwanwyn i'r preiddiau,
Anfon haf i'r coed fwynhau
A hydref i'r rhaeadrau.

(John Gwilym Jones)

Y GAEAF

Tydi sy'n gyfrifol am ddydd a nos ac am wawr a machlud 'goleua Di ein deall gwan' fel y down i ddeall fod diben i dywyllwch a goleuni, a phwrpas y tu ôl i drefn dy greadigaeth.

Nid hap a damwain yw tro y rhod, ond llanw a thrai, hau a medi, storm a hindda, ac mae gan bob tymor ei gyfraniad. Er mor fendigedig yw haul Awst diolch nad yw yn haf o hyd. Rhaid wrth aeaf cyn daw'r gwanwyn, ac ni fethodd y naill a dilyn y llall ac ymdoddant i'w gilydd. Er cwymp y dail mae gafael Hydref yn dynn ar sawl deilen er gwaethaf gwynt a thymestl Tachwedd. Er dyfod briallu Ebrill mae'r gaeaf yntau hefyd ambell waith yn llusgo'i draed ac yn gyndyn o'n gadael. Diolch am bob tymor yn ei dro. Diolch am y gaeaf Arglwydd. Rhaid wrth noethi'r fedwen-arian i werthfawrogi ceinder rhwydwaith ei changhennau main. Ni welir gwe a brodwaith y brigau ym misoedd yr haf.

Er mor llwm yw coed y gaeaf nid yw'r pren yn segur. Yn dawel a di-stŵr mae'r egin yn ffurfio, a'r gwreiddiau o'r golwg yn sugno maeth y pridd. Mor rhyfeddol y gwnaed y cwbwl gennyt Arglwydd. Nid oes gwastraff yn dy greadigaeth. Pwy ond tydi fedrai droi y dail crin yn wrtaith a bwyd i flagur y gwanwyn?

Dysg ninnau hefyd Arglwydd i elwa ar brofiada' gaeafol bywyd. Wrth reswm does run ohonom yn croesawu stormydd ac yn edrych ymlaen am dywydd garw. Does neb ohonom eisiau galar a gofidiau a byw dan gwmwl. Paid â'n cam-ddeall, Arglwydd, nid dymuno profiada' chwerw a wnawn, i'r gwrthwyneb rym eisiau eu hosgoi ond yn hwyr neu'n hwyrach gwyddom y bydd rhaid i ni oll eu hwynebu. Pan fyddo'r gwyntoedd yn chwythu arnom, Arglwydd, pwy ŵyr –

> 'Fe all mai'r storom fawr ei grym
> A ddaw a'r pethau gorau im'.

Pan fyddo'r barrug yn drwm ar ein bywydau, cynorthwya ni fel y dderwen i angori gwreiddiau ein ffydd, a'u gwthio'n ddwfn i ddaear deg dy gariad Di.

Fel mae'r rhew yn gwyntyllu a phuro'r pridd, nertha ni i ddefnyddio'r gwaethaf i hyrwyddo'r gorau er mor anodd yw gwneud hynny.

Pan fyddo'r gaeaf yn hir yn cilio dyro i ni obaith yr eirlysiau

> 'Oll yn eu gynau gwynion, ac ar eu newydd-wedd'.

Boed i ni gofio'r lili-wen fach yn ymwthio ei phen drwy grystyn caled y pridd –

> 'Aeres ystormydd eira a chennad
> Fach annwyl yr hindda;
> Lili'r rhew yn galw'r ha',
> Ai dameg ei dod yma?'*

Diolch i Tithau ein Tad nefol, am obaith ac arwydd y gwanwyn er gwaethaf y gaeaf, ac er nad yn dymuno'r gwaethaf hwnnw i'th blant, eto medri ei ddefnyddio er ein mwyn.
Amen.

DARLLENIADAU: *Habacuc 3: 17-19; Jeremeia 1: 11-12.*

EMYNAU: *498, 924.*

---

* 'Y Lili Wen Fach', Dic Goodman.

Y GWANWYN

Arglwydd, mae cryndod gwewyr esgor yn y pridd a gwyrth y deffro'n gyffro drwy'r fro.

Diolch i Ti am y gwanwyn. Ers dyddiau lawer mae ffresni'r blagur yn glasu perth a llwyn a chynffonnau'r ŵyn yn ysgwyd ar frigau'r gollen ac ar y ddôl. Beth am y mynd a'r dod o dan y bondo? Yr un yw'r prysurdeb ar frig yr onnen, yr hedfan diddiwedd yn ôl ac ymlaen. Trwsio, twtio, plethu a nyddu gwlân a gwellt i'r brigau main, ac angori'r nyth yn nhro'r gangen heb gynllun pensaer na chaniatâd pwyllgor. Dyro i ninnau fel yr adar gychwyn newydd a gobaith am yfory yn nechrau'r gwanwyn. Cawn elwa yn ddi-lôg ar gyfoeth banc yr eithin sy'n gwasgaru'i sofrenni hyd lethrau'r bryn. Mor hardd yw trysor aur y llwyni hyn. Yr un mor dlws yw'r ddraenen ddu ar ei newydd wedd pan ddelo'r tymor ifanc hwn i gadw oed . . .

> '. . . a throi hen wrach o goeden yn briodasferch hardd.'*

Dyro i ninnau hefyd Arglwydd deimlo bwrlwm y gwanwyn yng ngwythiennau'n gwaed, fel y daw'r sioncrwydd yn ôl i'n cerddediad a'r befr i'n llygaid. Rho i ni obaith Ebrill y briallu a wna i ni feddwl a pharatoi am yfory gwell. Dyma dymor y glanhau, dechrau'r daith a dillad glân. Adnewydda'n hieuenctid Arglwydd, rho i ni galon lân, meddwl pur a chyfle newydd unwaith eto i'th ogoneddu Di, fel byddom wrth fyw ymhlith pobl, fel awelon y gwanwyn yn adnewyddu eu hysbryd a'u calonogi.

> 'Am wanwyn Duw dros anial gwyw
> Dynolryw deffro'n llef;
> A dwg yn fuan iawn i'n clyw
> Y sŵn o'r nef.'

Sŵn siffrwd murmur awelon Mai yn nail y wir winwydden yn darogan sypiau o rawnwin pêr i bwyso'r canghennau.

Wedi heth a hirlwm gaeaf, dyma sŵn glaw bywiol Ebrill ar y pridd. Diolch am y gwanwyn ac Ysbryd y Gwirionedd yn glawio arnom ninnau . . .

* Dic Goodman, 'Y Briodas' (Caneuon y Gwynt a'r Glaw).

'. . . tyred
Yn dy nerthol ddwyfol ddawn;
Mwyda'r ddaear sech a chaled,
A bywha yr egin grawn:
Rho i Seion
Eto wanwyn siriol iawn.'

Amen.

DARLLENIADAU: Caniadau Solomon 2: 11-13; 'Gwanwyn' – 'Tra bo cyw i'r ddeuryw'n ail ddeori . . . yn treiglo'r meini', Dic Jones, Storom Awst.

EMYNAU: 262, 925.

YR HAF

Tydi sy'n rheoli'r tymhorau, dwed wrthym pa bryd mae'r gwanwyn yn darfod a'r haf yn dechrau. Neu tybed nad oes ffin yn bod? Ai cyfnod y bodlonrwydd hwnnw yw yr haf pan fo'r gwanwyn gwyllt yn fyw'n y cof a'r gaeaf ar rhyw orwel pell? Pam Arglwydd y gosodaist yr haf rhwng impio'r dail a'u cwymp? Yn ôl dy drefn mae diben i bob tymor ac i bob tymor ei waith;

- Pan fo'r dderwen braff yn drwm o ddail mor braf yw ei chysgod yng ngwres y dydd.
- Ai dweud mae'r haf na phery prysurdeb gwanwyn ar fynd o hyd?
- Ai dweud a wna y dylid ymbwyllo cyn dod o'r hydref i arafu cam?

Os felly, diolch i Ti Arglwydd am fae a phorth a'i dywod melyn i ymlonyddu yn ei wres a phendwmpian yn sŵn y tonnau'n taro'r traeth. Diolch am gyfnod i gadw dillad gwaith dros dro a newid trefn y dydd gan ymlacio'n ddiog yn haul mis Awst. Neu fynd ar grwydr i bellafoedd byd ac anghofio'n dyletswyddau oll i gyd, fel y down yn ôl ar newydd wedd yn eiddgar am gyflawni'n dyletswyddau eto'n llon. Mor fendigedig wedyn yw yr haf yn hwyr y dydd a'r nos yn oedi dod, a phersawr gwyddfid dros y lle yn penfeddwi pawb. Am hyn i gyd, diolchwn i Ti Arglwydd, a gwerthfawrogwn las y nen heb gwmwl du, a chyfle i synfyfyrio'n hir dan wenau'r haul cyn dod o syrffed canol oed i chwalu'r hud. Diolch felly am y wefr o weld awelon haf yn cribo gwallt yr haidd yn donnau byw, a'r cynnwrf braf a ddaw pan fo pelydrau'r haul ar aur yr ŷd yn dallu pawb wrth syllu arnynt yn rhy hir. Diolch i ti Arglwydd am y tymor hwn, am ei gyfaredd, ei gyfle a'i gyfoeth. Diolch am ei hamdden, ei hud a'i harddwch. Ynghanol y llawnder a'r llawenydd cadw ni rhag anghofio mai Tydi o Dduw a'i rhoddodd i ni. Diolch am dymor yr haf.

DARLLENIADAU: Elwyn Roberts, 'Darluniau Haf' yn Blas y Pridd. Eifion Wyn, 'Mehefin', yn Telynegion Maes a Môr.

EMYN: 885

YR HYDREF

Arglwydd, dywed pa un o'r tymhorau ydy'r tlysaf gennyt Ti. Oes gen Ti ffefryn?

Ai hydref a'i harddwch yw hwnnw?

Rhaid cyfaddef mae'n anodd rhagori ar brydferthwch hydref, pan fo'r coed wedi diosg eu dillad haf ac yn gwisgo'r siaced-fraith a'r gwaed yng ngwythiennau'r griafolen.

Mor brydferth wedyn ydy rhwd rhedyn y llethrau a gwrid afalau'r berllan – bryn a dôl, maes a mynydd yn basiant o liwiau.

Os mai tymor tyfu ydy'r gwanwyn, yna tymor yr heneiddio tyner ydy'r hydref.

Os mai'r ifanc sy'n hawlio Ebrill a Mai, y canol oed piau Medi a Hydref.

Os yw'r gwanwyn yn fyrbwyll wyllt mae'r hydref yn araf ddoeth.

Mae'r pren afalau, y goeden eirin a gloddest y ffrwythau oll yn tystio am aeddfedrwydd y tymor. Pan fo cryman medi'n segur a'r ysguboriau'n llawn pa adeg gwell o'r flwyddyn a gawn i fynegi ein diolchgarwch i Ti am gnwd y ddaear?

Ymffrost y flwyddyn yw cnydau'r maes a'r ardd, y berllan a'r winllan, ac mae'r grawnwin, yr eirin a'r mwyar yn emau yng nghoron haf bach Mihangel.

Diolch i Ti yr hwn sy'n dyfrhau'r ddaear am '. . . ei mwydo â chawod-ydd a bendithio'i chnwd. Yr wyt yn coroni'r flwyddyn â'th ddaioni, ac mae dy lwybrau'n diferu gan fraster'.

Oherwydd trugareddau'r tymor sy'n diwallu'n anghenion, bydd pryder am y gaeaf yn lleihau, a mawr yw ein diolch i Ti.

Er bod i'r hydref gwymp y dail ac ymfudo'r wennol sy'n codi aden i chwilio am g'nhesach bro, gofalaist fod i'r hydref aeddfedrwydd a llawnder.

Cymaint yn llai fydd ergydion y gaeaf oherwydd clustog bendithion yr hydref hardd.

Felly, O! Dduw ein cynhaliwr, cyn dod o'r barrug cynnar i ddifa'r Ffarwél Haf a 'siswrneiddio'r dail' oddi ar y pren, diolchwn i Ti am ysblander eu lliwiau oll.

- Cyn dod o Dachwedd i ysgyrnygu'i ddannedd a theimlo ohonom frath ei wynt, diolchwn i Ti na fydd arnom eisiau un dim oherwydd haelioni rhoddion hydref.
- Cyn troi ohonom yr awr yn ôl i arafu peth ar gysgodion yr hwyr cawsom fedi cynhaeaf a'n cynhalia ni oll hyd nes gwelwn eto'r dydd yn ymestyn.

Ydi, mae'n anodd rhagori ar lawnder, ar liwiau ac ar lawenydd hydref y flwyddyn a hydref ein bywyd.

Diolch i Ti am yr hydref a'r tymhorau oll.

Amen.

DARLLENIAD: Eifion Wyn, 'Hydref', yn Telynegion Maes a Môr.

EMYN: 731

DARLLENIAD: Tegla Davies, 'Blwyddyn Einioes', Byw, (Ionawr 1965), t.5.

TYMOR YR HYDREF

Clywir sŵn prysur y cynhaeaf diweddar. Casglu i mewn sydd ar bob llaw, ac nid oes amser i'w golli rhag ofn i'r tywydd dorri. Erbyn diwedd Medi nid oes fawr o ddim wedi ei adael ar ôl. Byw ar ei brofiad yw gwaith dyn erbyn hyn. Darfu'r gweledigaethau. Perthyn i gyfnod cynharach y maent hwy, ac nid oes pren yn blodeuo ond y pren almon. A hardd yw'r blodau hynny ar bren cadarn.

Y mae'r dydd yn fyrrach na'r nos a blas gaeaf ar yr awel, eto ni ddiflannodd yr haf. Dyma gyfnod haf bach Mihangel, ac mae rhai o'r hafau hyn yn hyfryd odiaeth. Eithr teimla'r cryfaf yn awr mai byrhau y mae ei ddydd. Byw ar gynnwys yr ysgubor yw ei waith, mewn cynnyrch profiad. Ar hynny y dibynna i wynebu'r gaeaf sydd ar ei warthaf.

Dechrau'r Flwyddyn

EDRYCH YN ÔL AC YMLAEN

Blwyddyn Newydd

Ai adwaith du ddyfodol – ddaw inni,
Neu ddaionus reol?
Mae rhaglen dyngedfennol
ym mhwys a chynnwys ei chôl.

(R. Jones)

Ein Tad, wrth sefyll ar y rhiniog a chyn camu dros drothwy'r flwyddyn newydd rydym rywsut yn edrych yn ôl ac ymlaen. Cyn cymryd y cam cynta' gwna i ni sylweddoli na fedrwn fynd ymlaen yn iawn heb edrych yn ôl. Wrth edrych yn ôl ar yr hen flwyddyn mae modd gweld ôl dy droed. Roeddet Ti gyda ni ym mhob man. Mae ôl troed Iesu yn aros ar graig amser. Druan ohonom ni, ôl troed ar dywod sydd i ni a olchir gyda'r llanw cynta, ond mae ôl troed Iesu yn aros byth. Roeddet gyda ni gam am gam gydol yr hen flwyddyn. Hwyrach yn rhy agos i ni dy weld yn iawn. Diolch i Ti am yr hyn a fu. Ar ddechrau'r flwyddyn fel hyn diolchwn ymlaen llaw am yr hyn a ddaw hefyd . . .

'Beth fydd **ein** rhan ar hyd ei misoedd maith?
Nis gwn, fy Nuw, ni fynnwn wybod chwaith.'

Ond fe wyddom hyn, beth bynnag a ddaw, boed yn 'hyfryd ddydd' neu'n 'nos dymhestlog', beth bynnag fydd yn ein haros, y tu draw i bob tro, byddi Di yno yn ein disgwyl ac yn aros amdanom.
Duw wyt Ti sydd yn 'llond pob lle a phresennol ym mhob man'. Wrth gerdded ymlaen i'r flwyddyn newydd byddi Di nid yn unig y tu cefn i ni fel craig yn ein cynnal, byddi hefyd ar y blaen yn ledio a pharatoi'r ffordd. Yr un pryd byddi'n cydgerdded gyda ni gam wrth gam. Rwyt Ti 'mhob man ar unwaith, yn ein gorffennol, presennol a'r dyfodol. Go brin fod 'run ohonom eisiau gwybod beth fydd ein hanes d'weder ym Medi neu Dachwedd, ymhen y mis neu wythnos i heddiw, neu'n wir ymhen yr awr. Mae'r cwbwl yn ddirgelwch ac yfory'n dywyllwch i

gyd, ond o wybod dy fod Ti gyda ni, dydi camu i'r tywyllwch ddim yn ofn a dychryn. Nid yw'r nos yn nos gyda Thi.

'Bodlon ydym os cawn ymaflyd yn dy law'.

'Yn dy law y mae f'amserau,
Oriau'r bore a'r prynhawn'.

'Amser gwynfyd, amser croes'.

Felly mentrwn ymlaen i'r flwyddyn newydd a cherdded yr holl daith i'w diwedd law yn llaw gyda Thi.
Amen.

DARLLENIAD: Salm 90.

EMYN: 751.

DYSG NI GYFRI'N DYDDIAU

Arglwydd, 'dysg ni gyfri'n dyddiau', ac mae'n od ryfeddol ein bod yn gofyn i Ti o bawb ein dysgu i wneud hyn a thithau'n Dduw a Thad tragwyddoldeb. Mor aml yr adeg yma yn ein hanes y byddwn yn dy gyfarch fel Tad tragwyddoldeb ac yn ceisio dy fendith ar ddechrau'r flwyddyn a gofyn i Ti:

> 'Trwy blygion tywyll ei dyfodol hi
> Arweinydd anffaeledig, arwain **ni**'.

Ydy, mae'n od rhyfeddol ein bod yn gofyn hyn i Un nad oes diwedd na dechrau blwyddyn yn perthyn iddo. Ond dyna fo, os wyt Ti yn dragwyddol dy natur cofia mai creaduriaid amser ydym ni. Rhaid i ni wrth ddechrau a diwedd blwyddyn. Mae'n bywydau byr ni'n cael eu rheoli gan galendr ac almanac amser. 'Rym yn byw o fis i fis ac o wythnos i wythnos. Mae pob dydd yn bwysig i ni. Fe wyddost y cawn ein rheoli gan oriau'r cloc a bod pob munud ac eiliad yn werthfawr i rai meidrol fel ni. Ond rwyt Ti tu hwnt i'n gofod a'n hamser ni. Yn ôl y Beibl rwyt Ti o dragwyddoldeb i dragwyddoldeb a'n hoes ninnau mor fregus â glaswellt yn crino a blodeuyn yn gwywo. Mae'n hamser ni yn rhy brin i'w wastraffu Arglwydd, felly cyn torri'r llinyn arian a darnio'r llestr aur, cyn arafu'r cam, cyn bo anadlu'n boen a chyn y dychwel y llwch i'r ddaear 'dysg ni gyfri'n dyddiau, inni gael calon ddoeth'.

Gwyddom Arglwydd o wneud hynny y medrwn fod gyda Thi o awr i awr a threulio'r flwyddyn yn dy gwmni.

> 'Y bore gyda Thi,'
> 'Bod gyda Thi'n barhaus,'
>
> 'Yn wastad gyda Thi,
> Ac ynot ymhob man,'

Dysga ni felly i gyfri'n dyddiau, a rho inni galon ddoeth i ddeall os ydym yn greaduriaid amser ein bod hefyd yn blant tragwyddoldeb. Boed i ni sylweddoli y medrwn etifeddu tragwyddoldeb cyn mynd o fyd amser. Oni ddywedodd Iesu Grist fod teyrnas nefoedd o'n mewn ni?

Mor braf eleni fyddai bod gyda Thi'n barhaus. Gyda Thi wrth godi'r bore, wrth ddilyn ein gwaith, wrth fyw ymhlith pobl, wrth ddelio â'n

gilydd ac wrth gysgu'r nos. Yn wastad gyda Thi.
Beth dd'wedaist Ti, Arglwydd? Ai dweud o fyw yn dy gwmni y down i ddeall sut mae mil o flynyddoedd fel undydd i Ti; sut mae dyddiau bywyd fel breuddwyd a'r blynyddoedd fel ochenaid, ac y down i ddeall mai y rhodd fwyaf yw bywyd ei hun, bywyd nad yw'n darfod byth o'i gysegru i Ti?
Boed pob dydd o'r flwyddyn o'n heleni ni gyda Thi a Thi gyda ni, ac yn dy gwmni'n byw.
Amen.

DARLLENIADAU: Pregethwr 12: 1-7; Salm 90: 1-6, 10-12.

EMYN: 433.

GŴYL DEWI

DEWI SANT

Nid iawn yw sôn amdano; – ac ofer
Ei gyfarch ar ginio
Oni ddeil ei grefydd o
A'i heniaith fyth i'n huno.

(Huw Llewelyn Williams, Llygadau Heulog)

Diolch i Ti ein Tad am Dewi Sant.
Dwed wrthym beth ydy sant?
Ai rhywun fel Dewi yn byw ar fara a dŵr?
Go brin, er bod hynny'n gamp.
Ai rhywun â'i feddwl yn lân, 'di olchi mewn persil yn wynnach na gwyn?
Un gafodd gant y cant am ei waith cartre gen Ti, O! Dduw?
Rhywun perffaith yn gwneud un dim o'i le?
Os felly, ein Tad, 'does 'na ddim sant, na'r un dyn perffaith, ond Un, ac nid Dewi mo hwnnw.
Heb ei fai heb ei eni, rhai felly 'da ni, dyna hanes pawb a Dewi.
Beth felly ein Tad, yw sant?
Beth?
Enw'r Testament Newydd am un sy'n cydnabod ei feia', ac yn credu bod modd gwella ar dda, ac y daw'r du yn llwyd, a'r llwyd gydag ymdrech yn wyn?
Un â'i draed yn ôl traed yr unig Un perffaith a gerddodd y ddaear erioed, ac o'i garu a'i ddilyn, fel yntau, yn gneud pethau mawr a bach?
Un wna ei orau i fyw fel Tydi, O! Dduw?
Os felly, gwna ninna' yn saint;
rhown dosturi ar waith a chariad mewn grym;
syrthiwn ar fai a chydnabod ein gwendid, a cheisio a derbyn maddeuant gen Ti, O! Dduw.
Un felly oedd Dewi.
Diolch ein Tad am Dewi Sant.
Amen.

DARLLENIADAU

'Da ni yma o hyd.'
Pwy ydy ni? Wel CHI ydy NI, chi a fi.
'Da ni yma ers canrifoedd,
ond doedd NHW, ers talwm, ddim yn union 'run fath â ni,
hynny ydy, nid y Gymraeg 'da ni'n ei siarad heddiw oedd eu
      Cymraeg nhw.
Brythoneg oedd iaith Dewi Sant, Deiniol, Beuno, Durdan a'r
      gweddill o'r saint Celtaidd.
Ond yr un rhai ydan ni â nhw.
Mae'r Frythoneg yn fam i'r iaith Gymraeg,
ac mae hynny'n wyrth.
Roedd i'r Frythoneg ei phlant, ac o'r plant
dim ond un sy'n fyw,
Wel, yn ymladd am ei bywyd mewn rhannau o'r wlad
fu unwaith yn Gymru Gymraeg i gyd.
I gadw'r iaith yn fyw rhaid ei defnyddio hi gyda phob peth, ymhob
      man;
yn iaith dysgu ac addoli;
yn iaith hamdden, hwyl a chwarae;
yn iaith busnes a masnach;
ac yn fwy na dim yn iaith yr aelwyd, yn iaith magu plant.
Ac i'w chadw rhag troi'n fratiaith, rhaid ei chadw'n iaith lân a
      naturiol.
Oes ganddo' ni heddiw seintiau Cymraeg o Fynwy i Fôn?
Mae pobol fel Dewi sy'n ôl pob sôn, er gwaethaf eu beiau
yn gwneud eu gorau i geisio byw yn debycach i Dduw,
yn ymdrechu'n fawr i 'neud pethau bach
fel siarad Cymraeg gyda'r ferch wrth y til
yn Asda, a Safeways, Leos a Tesco –
y rhain ryw ddydd geidw'r iaith yn fyw.
Wrth gydnabod eu beia' a rhoi o'u gora i'r unig Un perffaith,
fe ddônt ryw ddydd â'u gwlad yn ôl – yn ôl at Dduw.
Un felly oedd Dewi.
Oedd, 'roedd Dewi yn Sant.

Ydan ni sy' yma o hyd -
yn Gymry, yn Gristnogion, yn bobl fel Dewi?
Gobeithio ein bod,
er mwyn yr iaith hynaf a siaredir yn Ewrop
ac er mwyn Duw.

DARLLENIADAU: Ecclesiasticus 44: 1-14.

EMYNAU: 718, 868.

Y Pasg

Y Groes

Er ingoedd oriau'r trengi, – er y gwarth
a'r gwawd a'r holl regi
gwyddom y bu Tŷ Gweddi
i Frenin Nef arni hi.

(Einion Evans)

Yr Atgyfodiad

Yn awr os hen yw'r dderwen – ar y rhos,
ac os crin pob deilen,
yn y pridd, er pydru'r pren,
y mae ias ym mhob mesen.

(Einion Evans)

DEUOLIAETH Y PASG

Ein Tad, mae'n dda i ni am wyliau'r eglwys.
Ynddynt, bob un yn eu tro, down wyneb yn wyneb â'r gwirioneddau mawr.
Mae i'r Pasg ei ddeuoliaeth nad oes modd ei osgoi – y materol a'r ysbrydol, y bydol a'r nefol, yr hyn sydd, a'r hyn a ddaw.
Diolch Arglwydd, fod i'r Pasg ei fywyd tragwyddol yn ogystal ag angau, croes a bedd gwag, y groglith a'r trydydd dydd; cawn farw i bechod a byw i gyfiawnder.
Pan fo bywyd yn darfod mae marwolaeth yn ddrws i'r byd a ddaw.
Dechrau yw'r bedd nid diwedd y daith.
Diolch i Ti, y cawn ar y Pasg, ddyheu am yr hyn sy'n ddiddiwedd, a phrofi'n awr yr hyn sy' i ddod;
gwireddu breuddwydion am fywyd gwell a throi'n delfrydau'n realaeth.
Felly Arglwydd, y Pasg hwn, gwna ni'n ddoeth i weld yr hyn y dylem ei wneud.
Rho wroldeb i ni i gychwyn y gwaith,

teyrngarwch i ddal ati
a chryfder i'w gwbwlhau.

Y Pasg hwn gwna ni gofio na cheir y goron heb y groes, na'r wobr heb yr ymdrech chwaith. Canwn am obaith y bedd gwag:

> 'Er i'r groes fod ar y llwybr
> Bydd goleuni yn yr hwyr'.

Mae cymaint heddiw, Arglwydd, heb ddeall hyn. Rhai heb nod i gyrchu ato, heb bwrpas i'w bywyd a heb obaith am a ddaw.

Rhai sy'n cylchdroi heb fynd i unman – y bedd yn ddiwedd y daith a marw'n derfynol. Maent fel y Lôn Goed – 'I lan a thref nid arwain ddim'.

Caniatâ iddynt weld neges y Pasg ynom ni –
ni'n byw gan ddangos na ddaw marw
ac yn marw i fyw am byth.

Ein bywydau yn fynegbost i ddangos y ffordd
'o ganol byd i ganol nef'.

Gofynnwn hyn yn enw'r Un sy'n Ffordd, yn Wirionedd a Bywyd.
Amen.

DARLLENIAD: Mathew 16: 21-28.

EMYN: 888.

BE YDY'R PASG?

Y Pasg – be ydy'r Pasg? I gannoedd a channoedd o bobl y Pasg ydy miloedd ar filoedd o wyau.

Wyau siocled o bob math ac o bob maint.

Rhai'n wag a rhai'n llawn melysion, ac yn rhai y cywion bach melyn dela welsoch chi erioed.

Y Pasg ydy gwledd o siocled, cywion siocled, a chwningod siocled hefyd erbyn hyn.

Er nad oes neb o'r bron Arglwydd, yn deall arwyddocâd yr wy na'r cyw.

Nid bywyd ond bwyd ydy'r Pasg i'r rhain, ac y mae'r Grawys yn loddest ar ei hyd heb ympryd o fath yn y byd. Temtasiwn y calorïau o'r grempog i'r wyau yn drech na hunan-ddisgyblaeth.

Oes rhywrai, Arglwydd, yn cofio ympryd deugain niwrnod dy Fab, heb ildio ohono unwaith i dair temtasiwn yr anialwch – 'nid ar fara'n unig y bydd byw dyn'.

Be' ydy'r Pasg?

Fel y Nadolig, y Pasg i rai ydy masnacheiddio gŵyl, a rhoi elw heb ei fath i Cadbury's a Rowntrees. O leiaf, roedd mwy o synnwyr ers talwm wrth fynd o fferm i fferm yn Ynys Môn i glapio wyau. O leiaf roedd hynny'n ennyn tosturi, a thlodion y plwy' oedd yn elwa pryd hynny ar wyau Pasg.

Ai dyna ydy'r Pasg, Arglwydd – wyau boed wag neu lawn?

O'r wy y daw'r cyw a bywyd newydd. Ac os gwag yw'r wy, gwag hefyd oedd bedd y Trydydd dydd.

Dyna ydy'r Pasg

- buddugoliaeth a choncwest,
- egin ar frigyn yn concro gerwinder gaea',
- cariad yn concro pechod,
- dawns yr ŵyn i groesawu'r gwanwyn a buddugoliaeth bywyd ar y bedd;

'Myfi . . . ydyw Arglwydd y ddawns medd ef'.

Ia, dyna ydy'r Pasg, angau yn methu â phriddo Arglwydd Dawns y Bywyd Newydd!

Dawnsiaist ddydd Gwener
Ar y tywyll brynhawn;
Pan fo'r diafol ar dy gefn
mae'n anodd dawnsio'n iawn;
Ac fe'th claddwyd di wedyn
Yn y bedd dan y maen -
Er hynny aeth
Y ddawns ymlaen.

Fe fethodd cadwynau'r bedd
Â'th ddal yno'n hir,
Canys Ti ydyw'r bywyd
Byw fyddi byth, yn wir;
Ac fe bery y ddawns
O fewn ein calon, mi wn,
Os awn ar ei ôl
Drwy'r byd mawr crwn.

Arglwydd y Pasg hwn, boed i ninnau hefyd ddawnsio i fiwsig rondo'r
gwanwyn:

'Dawnsiwn yn llawen iawn ein llef,
Canys fi yw Arglwydd y ddawns medd Ef'.

Be' ydy'r Pasg? Dawns Arglwydd Gwanwyn Bywyd.
Amen.

EMYN: 884.

SACH LIAIN A LLUDW

Arglwydd,
pam yr aeth Iesu Grist i'r anialwch am ddeugain niwrnod cyn cychwyn ar ei waith mawr o sefydlu dy deyrnas Di?
Be' dd'wedaist ti? Ia, wir? Mae'n anodd dy goelio. Pwy fase'n meddwl fod angen profi a pharatoi ei hun ar dy Fab Di.
Ond wedi meddwl am y peth, mae mawrion y byd i gyd yn ymarfer eu dawn a hunan ddisgyblaeth.

Mae pencampwyr snwcer yn rhoi mwy o amser i ymarfer wrth y bwrdd gwyrdd nag wrth fwrdd y gegin yn bwyta brecwast, cinio, te a swper.
A beth am gantorion? Bryn Terfeliaid y byd sy'n ymarfer deg awr am bob awr o berfformio?
Mae pedair blynedd rhwng y chwaraeon Olympaidd. Wyth mis a deugain o neidio a rasio, o dynnu a thaflu, cerdded a rhedeg yn ddi-ben-draw.
Aiff neb ymhell ar ei eistedd, ac amhosib yw bwrw prentisiaeth dros nos.

Arglwydd, diolch am gyfnod y Grawys o flaen y Pasg a chael dydd Mercher Lludw ymhell o flaen dydd Gwener y Groglith.
Edifarhau cyn teithio at y groes.
Diwrnod o gerdded yn droednoeth, a gwisgo sach liain a rhoi lludw ar dalcen. Wnaiff neb hynny heddiw, Arglwydd. Ddim yn amlwg beth bynnag. Rhaid paratoi ar gyfer y Pasg. Os oedd angen ymprydio, a hunan ddisgyblaeth ac ymbaratoi ar Iesu dy fab, yn siwr i ti Arglwydd, mae angen gwneud hynny yn llawer iawn mwy arnom ni.

Arglwydd, gwared ni rhag popeth sy'n rhwystr i ni edifarhau, rhag gwisgo'r sach liain a cherdded yn droednoeth a rhoi lludw ar dalcen.
Gwae ni dy herio drwy beidio poeni dim am bechod na bai.
Gwae ni os ydym mor hunan-gyfiawn â chredu ein bod yn berffaith a glân.
Gwae ni os ceisiwn osgoi cyfrifoldeb a beio eraill am ein pechodau ni.
Gwared ni oddi wrth ein 'styfnigrwydd

• oddi wrth ein llwfrdra,

• oddi wrth ein dallineb.

Arglwydd rho i ni'r gydwybod sy'n dwys-bigo.
Rho inni'r llygaid i weld ein pechodau, rho inni'r ysbryd
i gydnabod bai.
Gwna ni'n wir edifeiriol fel y derbyniwn faddeuant y Pasg hwn.
Dod fel caethweision yn droednoeth at y groes, yna, fel dy blant, cael
gwisgo esgidiau am ein traed.
Amen.

YR EGNI DWYFOL

Arglwydd Bywyd,
Gwelsom yr egin glas
yn ymwthio trwy darmacadam
a llwybrau concrid.
Rhyfeddwn wrth weld y fath wyrth,
y fath egni,
y fath fywyd.
Diolchwn fod grym y gwanwyn
yn torri trwy bob rhwystr
ac yn gwneud sbort o bob carchar.
Ar y Groglith, fe gofiwn Arglwydd
fel y bu i elynion Iesu
Y Phariseaid, a'r Sadwceaid,
grym y Sanhedrin Iddewig
a nerthoedd Rhufain fawr,
weiddi am ei waed.
Fe'i croeshoeliwyd
a'i gladdu a selio'r bedd â maen.
Pwy ond ffyliaid fyddai'n ceisio
rhoi Arglwydd bywyd i farwolaeth
a chladdu'r Atgyfodiad Mawr!
Diolchwn i Ti nad oes yr un maen
na elli Di ei dreiglo.
'Ni allodd angau'i hun ddal Iesu'n gaeth'.
Methiant fu'r ymgais i'th gladdu.
'Ar fore'r Trydydd Dydd yn rhydd y daeth'.
Diolchwn i Ti am fuddugoliaeth y Groes
ac am ryddid y Bedd Gwag -
Rwyt yn rhydd, a heddiw
nid Iesu un lle mohonot
Ond Crist pob man - yr Hollbresennol Dduw.
Nid oes terfyn ar rym dy gariad.
Gwelsom dy gariad yn fyw yng nghalon
ac aberth pob gwir fam.
Mae dy gariad yn ei amlygu ei hun

ym mywydau pawb sy'n barod i ddioddef er dy fwyn.
Pa le bynnag y mae angen
'rwyt Ti yno yn gweini mewn trugaredd ac yn dod â gwanwyn bywyd
i ganol gaeafau dynion.
O Grist byw, rho dy egni dwyfol ynom ni.
O Grist byw, rho dy gariad anorchfygol ynom.
O Grist byw, rho dy ysbryd bywiol yn ein c'lonnau.
Amen.

DARLLENIAD: Salm y Pasg – W. Rhys Nicholas

CYNNWRF Y PASG

Arglwydd, ai'n fwriadol y mae'r Pasg tua Ebrill? Misoedd y deffro yw Ebrill a Mai, amser yr ymysgwyd mawr. Pawb a phopeth mor brysur â chynffon oen -

• afiaith nythu a pharu'r adar,
• y pren ceirios yn gawod o flodau ac yn reiat o liw,
• bwrlwm byw ar bob llaw a chyffro'r cychwyn yn nawns y dail.

Carlamu wna'r gwanwyn nid cerdded, mae grym yn y llafnau gwyrdd a rhialtwch twf yn aflonyddu'r pridd.

• Arglwydd, roedd mynd a dod ar fore'r Trydydd Dydd, sŵn traed yn rhedeg trwy'r hanes i gyd,
• Mair â'i gwynt yn ei dwrn yn mynd ar hast o'r ardd a'i neges-brys yn llosgi dan ei bron;
• hwythau ill dau, Ioan a Phedr o glywed ei stori yn rhedeg ras at lan y bedd, a'i gael yn wag,
• roedd Iesu'r Terfysgwr Mawr yn fyw!

Swatiai'r gweddill tu ôl i ddrysau clo, ofn symud llaw na throed – ofn mentro allan – rhag ofn – wedi eu parlysu oll.

Ymddangosodd yntau yn eu plith a'u hysgwyd hwy i'w sail bob un. Cynnwrf yr Atgyfodiad mawr yn ymlid ofn a phoethi'r gwaed. Y foment honno gwyddent pa beth oedd byw.

Arglwydd, buom ninnau yn rhy llonydd yn rhy hir, yn cysgu ar ein traed. Ysgytia ninnau i gyd. Yng ngrym ei atgyfodiad Ef, o boed i ninnau ddechrau byw.

Diolch iti am gael dathlu'r Pasg pan fo asbri'r gwanwyn yn y tir. Amen.

DARLLENIAD: Ioan 20: 1-18.

YMDDISGLEIRIA YN Y CANOL

Ein Tad nefol, diolch fod cymaint â hyn ohonom ni yma. Mae 'na le i fwy, ac mae 'na fwy fedrai ddod, mae lle i ragor yma, ac mae 'na ragor ddylai fod yma. Mae'r drysau ar agor a dim un wedi ei gloi.

Does dim rhwystr i neb ddod i mewn.

Ar y Pasg hwnnw 'mhell yn ôl, roedd pawb fedrai ddod a phawb oedd ar gael, yn y tŷ, a phob drws ar glo.

Heddiw Arglwydd, yma yng Nghymru, fe wyddost nad oes neb yn ein herlid, nid oes achos i ofni na chloi'r drws, ddaw neb i mewn gyda chleddyf i'n bygwth.

Maddau inni Arglwydd nad ydym yn boen nac yn bryder i neb.

Ddoe yn Jerwsalem roedd achos i ofni a chloi'r drws.

Roedd Pedr a'i ffrindiau'n destun siarad ac yn ddraenen dan groen y rhai bodlon eu byd.

Roedd y drws felly ar glo a'r disgyblion yn ofnus.

Yna, heb rybudd, daeth rhywun i mewn heb agor y drws, a sefyll yn eu canol a dweud,

'Shalom – Tangnefedd i chwi'.

Arglwydd i gloi'r Pasg heddiw, O! Tyred i'n plith. Saf yn y canol a rho dy dangnefedd i bawb oll ac un.

Awn oddi yma heb ofn na phryder, yn eofn a mentrus i ganol ein byd, ac yn boendod i bobol oherwydd ein ffydd.

Arglwydd, gwna ni'n gydwybod cymdeithas a'n ffordd o fyw yn herio confensiwn ein dydd.

Os daw hynny i fod, fydd dim lle yn y Tŷ wedyn; a bydd angen strategaeth newydd a gwahanol ar enwadau ein gwlad.

Arglwydd, trwy'r Grawys bu i ni obeithio darparu ein hunain gogyfer y Pasg.

Gobeithio y bydd i'r Pasg hwn hefyd ein paratoi ninnau gogyfer â'r byd.

Fe wyddom, O! Dduw, ein bod yn bodoli er mwyn y byd, ac nid er mwyn ein hunain.

Iesu tyred atom, a 'does dim angen i Ti'r Pasg hwn ddangos dy ddwylo fel gwnest i Thomas . . . tyrd atom!

'Dyro inni weld o'r newydd,
Mai Ti Arglwydd yw ein rhan;
Aed dy bresenoldeb hyfryd,
Gyda'th weision i bob man;
Tyrd i lawr, Arglwydd mawr,
Rho dy fendith yma'n awr.'

Amen.

DARLLENIAD: Ioan 20: 19-29.

EMYN: 266.

Darlleniadau

'ROEDDEM YNO . . .'

MARC

Y fi ydy'r ieuenga' sy'n cofio'r hanes. Hogyn ifanc iawn oeddwn i ar y pryd cofiwch, yn rhy ifanc i fynd efo'r disgyblion i bob man. Prun bynnag, chawn i ddim gan mam. Roedd hi'n adeg beryglus cofiwch chi. Doedd milwyr Rhufain yn malio'r un botwm corn am yr Iddewon, cnafon creulon dideimlad oeddan nhw. A milwyr y deml wedyn, wel, rhyw fath o filwyr ynte? Roedden nhw yn gwneud pob math o waith tua'r deml. Crafwrs a chynffonwyr yr Archoffeiriad a'i griw. Hen dacla' oedd rhain hefyd, eu llygaid ymhob man ac yn beryg bywyd. Rhain ddaeth i'r ardd hefo Jiwdas i arestio Iesu.

Er mwyn i chi gael y stori'n llawn, fel hyn 'roedd hi . . .

Yn tŷ ni 'roedd y Swper Olaf 'da chi'n gweld. Ches i ddim aros ar fy nhraed, 'roeddwn i'n rhy ifanc. Hidiwch befo, roeddwn i'n glustiau i gyd, yn dal ar bob gair ac yn clywed pob smic. Mi gofia i eiriau'r Meistr i gyd hyd fy medd. Fe ddeudodd y byddai un o'i ffrindiau ei hun yn ei fradychu. Wrth gwrs erbyn hyn 'da chi'n gwybod yr hanes i gyd, ond ar y pryd doedd neb ddim callach, ar wahân i Jiwdas ei hun. Roedd pawb ar draws ei gilydd yn gofyn 'Ai myfi ydi o?' Yn ystod y swper aeth Jiwdas oddi yno a golwg digon euog arno mae'n siŵr.

Chlywodd o mo Iesu'n dweud 'Cymerwch bwytewch, hwn yw fy nghorff' ac 'yfwch bawb o hwn'. Doedd gen i mo'r syniad lleia' be' oedd ystyr y geiria'. Ar ôl y swper, mi glywais nhw'n canu emyn a sŵn eu traed yn mynd allan yn ddistaw bach. Yn fuan wedyn mi glywais sŵn traed trymach – sŵn traed milwyr y deml. Fe wyddai mam i ble roedd Iesu wedi mynd, a buan iawn y gorfodwyd mam druan i ddweud lle roedd o. Prun bynnag mi sleifiais i allan o'r tŷ fel ag yr oeddwn i yn fy nghoban nos, a rhedeg nerth esgyrn fy nhraed i'r ardd ar fynydd yr olewydd er mwyn rhybuddio Iesu . . . ond roeddwn i'n rhy hwyr! Roedden nhw yno o'm blaen i. Yng ngolau torch un o'r milwyr mi welais Jiwdas yn rhoi cusan i Iesu. Dyna chi dro sâl. 'Da chi'r Cymry ddim yn dallt, dyna'r ffordd y byddai disgybl yn cyfarch ei athro. Jiwdas yn defnyddio'r dull gorau i wneud ei waetha'.

Ew, roedd 'na le yno. Roedd Pedr fel cawr lloerig yn chwifio cleddyf ac fe darodd un o'r milwyr ar ochr ei glust. Ond roedd Iesu'n feistr yn fanno hyd yn oed.

Dywedodd wrth Pedr am gadw'r cleddyf a dywedodd wrth y gelyn am adael llonydd i'w ddisgyblion. 'Cymerwch fi'n eu lle' meddai. Ar hynny fe gymrodd y disgyblion y goes a'i gleuo hi o 'na, a finna' i'w canlyn. Fu ond y dim i mi gael fy nal. Roedd un o'r milwyr wedi cydio'n dynn yn fy nghoban, ond llwyddais i lithro allan ohoni a rhedeg o'r ardd yn noethlymun. Roeddwn i'n dyfaru wedyn i mi fod mor llwfr.

Mae'r hanes yn yr efengylau, ond dydi'r efengyl ddim yn dweud mai fi, Marc, oedd yr hogyn ifanc yn ffoi o'r ardd. Y fi 'sgwennodd yr Efengyl honno mhen blynyddoedd wedyn yn Rhufain. Fedrwn i ddim enwi fy hun, mi fasa hynny braidd yn ymffrostgar yn basa.

Dwi'n falch erbyn heddiw i mi fod yno, ac mai yn tŷ ni y bu'r Swper Olaf.

Y CANWRIAD

Pwy ydw i? 'Sdim ots be' 'di'r enw. Swyddog oeddwn i ym myddin Rhufain a chant o filwyr yn fy ngofal. Eitha joban, petawn yn rhywle arall ond Palesteina. Hen wlad boeth ydi hi a phrinder dŵr yno ac yr oedd yr Iddewon yn anodd eu trin. Roedd rhai yn codi helynt byth a beunydd ac yn barod i roi cyllell yng nghefn rhai fel ni. A bod yn onest, 'roeddem yn trin yr Iddewon fel baw. Da' chi'n gweld, riff-raff oedd y rhan fwyaf o'r milwyr a anfonwyd i Balesteina. Doedd neb am fynd yno o'i wirfodd – neb yn ei iawn bwyll. Cael fy ngorfodi nes inna' hefyd. Yn ôl y sôn cael ei orfodi na'th Pontius Peilat y rhaglaw – gair o'r Beibl am *governor* ychi. Y fo oedd y bos. Mae'n siŵr ei fod o wedi troi'r drol hefo rhywun o bwys tua Rhufain. Un o'r seneddwyr neu hwyrach yr ymerawdwr ei hun. Pwy a ŵyr?

P'run bynnag, mi ges i waith digon annymunol i'w wneud gan Peilat. Y Pasg oedd hi, ac yr oedd rhyw saer o Nasareth yn hawlio mai ef oedd y Meseia – brenin os leciwch chi. Yn ôl be' dwi'n ddeall roedd yr arweinwyr crefyddol yn ei gasáu o â chas perffaith a hynny am fwy nag un rheswm. Roedd yn boblogaidd iawn efo'r bobl gyffredin, yn helpu'r tlodion, yn iacháu a gwneud daioni ym mhob man. Ond roedd o hefyd yn madda' pechoda' pobl, ac yn hawlio ei fod yn Fab Duw! Roedd hynny i'r crach crefyddol yn bechod anfaddeuol. Dim ond gan Dduw oedd yr awdurdod i fadda' pechoda', a thrwy neud hynny, roedd Iesu o Nasareth, dyna pwy oedd o, yn gwneud ei hun yn Dduw.

'Doedd Peilat yn poeni dim am hynny. Rhwng yr Iddewon a'u crefydd medda fo. Ond roedd yr Iddewon yn gyfrwys. Deud ddaru nhw fod Iesu'n hawlio fod ganddo deyrnas, ac os felly roedd yn frenin, ac roedd hynny yn fradwriaeth yn erbyn Rhufain. 'Doedd wiw i Beilat adael i Gesar glywed hynny rhag ofn i ddilynwyr Iesu godi gwrthryfel, ac felly roedd yn rhaid gwneud rhywbeth ar frys. Do, fe ddaru'r Iddewon roi Peilat mewn cornel. I dorri'r stori yn fyr cafodd Iesu ei groeshoelio a fi'r canwriad oedd yn gofalu y byddai hynny yn digwydd. Fel d'wedais i – hen waith annymunol.

Rŵan, mae'r stori'n rhyfedd. Darllenwch yr efengylau i gael y manylion i gyd. Hyn dwi isio'i ddweud. Pan glywais ei elynion yn ei wawdio, ac yntau yn gweddïo ac yn gofyn i'w Dduw faddau iddyn' nhw, fe wyddwn fod rhywbeth mawr ar ddigwydd. Gofynnodd i un o'i ffrindia' ofalu am ei fam. Roedd hi a'r gwragedd eraill yno ger y groes. Anghofia' i byth mo'i lygaid yn edrych arna' i. Nid condemniad oedd yn ei lygaid ond tosturi, a fi oedd yn gyfrifol am forthwylio yr hoelion drwy'i ddwylo i'r pren.

Aeth yr awyr yn dywyll a chrynodd y ddaear dan fy nhraed, ac am dri o'r gloch union gwaeddodd â llef uchel y gair, 'Gorffennwyd', a thynnodd ei anadl olaf. Fe wyddwn y funud honno ei fod yr hyn oedd o – mai ef oedd Mab Duw, ac mi dd'wedais i hynny hefyd i bawb gael clywad. Mi ddweda' i o eto wrthych chitha' – YN WIR, MAB DUW OEDD HWN!

MAIR MAGDALEN

Gobeithio nad ydych yn synnu fy ngweld i yma, neu 'da chi'n fawr gwell na'r Phariseaid dau wynebog hynny.

Hanner cyfle oedden nhw isio i ladd rhai fel fi drwy daflu cerrig ata' i. Fe ddaru nhw geisio llabyddio un tebyg i mi. Roedd hi'n euog o odineb. Stopiodd Iesu nhw a deud, 'Yr hwn sy'n ddieuog tafler y garreg gyntaf.' Pechaduriaid ydy pawb, hyd yn oed y Phariseaid. Fe ddeudodd wrth y wraig, 'Dos a phaid â phechu eto'.

Fe faddeuodd i minna' hefyd. Pan oedd pawb arall yn fy ngwrthod, ar wahân i'r clients oedd gen i liw nos, fe ddaru y meistr fy nerbyn i a'm gwneud yn lân trwy faddau fy mhechod. Rown i'n teimlo fel tawn i 'di ngolchi'n ddisglair.

Doedd 'na fawr o neb arall yn credu hynny, a fedrwch chi mo'u beio nhw a finna' 'di creu sawl sgandal. 'Doedd neb parchus am wneud dim â mi, ond fe ddaru Iesu fy nerbyn fel ag yr oeddwn.

Dyna pam y daeth i'r byd 'ma, i garu ac achub pechaduriaid, ac fe ddylwn i wybod. A dyna un rheswm pam y cafodd ei ladd. Ond cofiwch hyn, nid y gelynion yn unig oedd yn wfftio ato am garu rhai fel fi. Yn ystod ei wythnos ola' 'roedd yn nhŷ Seimon y gwahanglwyf ym Methania yn cael swpar. Wrth gwrs doeddwn i ddim yn cael gwahoddiad i'r wledd. Ond es yno 'run fath, a thorri ar eu traws a'i eneinio ag ennaint drud, gwerth cyflog blwyddyn, sef tri chan denariws. Fe olchais ei draed â dagrau fy edifeirwch a'u sychu â gwallt fy mhen, os da' chi'n dallt be' dwi'n feddwl.

Fe wyddwn yn fy nghalon y byddai'n marw tros bechaduriaid fel fi, ac rown i am ddangos iddo mod i'n gwybod hynny, a rhoi fy niolch iddo drwy ei eneinio.

'Roedd rhai o'r disgyblion yn flin ac yn dweud y dylid fod wedi gwerthu'r ennaint a rhoi'r pres i'r tlodion. Ond dywedodd Iesu i mi 'neud gweithred brydferth ac y dylid sôn am hynny bob tro y pregethir yr Efengyl.

'Hyn a allodd hon, hi a'i gwnaeth' meddai f'Arglwydd. Dyna'r peth lleia' fedrwn i ei wneud ac ynta' wedi maddau i butain fel fi. Yr unig un fase'n gwneud hynny!

Ond pan yr es i'n gynnar at y bedd ar fora'r trydydd dydd, a chael y maen wedi ei symud, a'r bedd yn wag, roeddwn yn torri fy nghalon – ac yna yn y llwyd-ola' sylwais fod rhywun yno'n sefyll yng nghysgod coeden. Meddyliais mai un o'r garddwyr oedd o. Roedd yn anodd gweld a hitha' heb wawrio'n iawn a dagrau'n llenwi fy llygaid.

Gofynnais iddo a oedd wedi cymryd corff fy Arglwydd. Ond pan dd'wedodd fy enw, a deud 'Mair' fe wyddwn wedyn fod fy Arglwydd yn fyw. 'Athro' meddwn, a rhuthro ato i'w gofleidio. D'wedodd wrtha' i am beidio â'i gyffwrdd. Roedd am i mi fynd at y disgyblion yn Jerwsalem i ddeud yr hanes. Mi es atyn nhw, ond doedd neb yn fy nghoelio ar y pryd. Stori arall ydi honno.

Cofiwch un peth ar y Pasg 'leni, mai i bechadures fel fi yr ymddangosodd Iesu Grist gynta'n fyw. Gwyn eich byd chitha hefyd os daw'r Iesu byw atoch a'ch cyfarch wrth eich enw!

BARRABAS

Da' chi ddim isio 'nabod i; does neb yn hoffi llofrudd.
Wyddoch chi be mae Barrabas yn ei feddwl? Mi ddeuda' i wrthoch chi – Bar, ydy mab ac Abba ydy tad yn Hebraeg. Bar-abbas – mab y tad! Fy enw llawn ydy Iesu Barrabas. Mae rhywbeth yn eironig yn y peth – Peilat yn cynnig gollwng un carcharor yn rhydd. Naill ai fi, Iesu mab y tad, sgowndral a llofrudd, neu Iesu, mab Duw, sant na wnaeth niwed i neb erioed. Do, fe ofalodd Caiaffas fod ganddo'i bobl i floeddio fy enw i, 'Barabbas, Barabbas', a gweiddi, 'Croeshoelier ef!' pan ofynnodd Peilat, 'Be wna' i â'r Iesu arall?'
Fedrwn i ddim coelio'r peth. Wedi cael fy nhraed yn rhydd es oddi yno cynta' byd medrwn i, cyn i Peilat newid ei feddwl. Roeddwn am fynd cyn belled ag y medrwn i o Jerwsalem, ond rywsut fedrwn i ddim. Roedd rhaid imi aros i weld y croeshoelio. Croeshoeliwyd tri, dau fel finna' yn haeddu marwolaeth, un bob ochr iddo fo, ac ynta, yn gwbl ddieuog o unrhyw drosedd, ar y groes ganol. Arhosais yno y tu ôl i'r dyrfa, o'r dechrau i'r diwedd. 'Rwy'n siŵr na welodd mohono' i, roeddwn yn rhy bell – yn rhy bell i glywed be ddeudodd o, ond mi

glywais o'n rhoi un waedd cyn marw. Rwy'n dal i glywed y waedd honno.

Da' chi'n gweld, fy nghroes i, Barabbas y llofrudd, oedd y groes ganol, nid croes Iesu o Nasareth. Y fi oedd i fod i farw arni ac nid y fo. Chariais i 'rioed gleddyf na chyllell ar ôl hynny. Petawn i isio lladd rhai fel y Rhufeiniaid, fy ngelynion penna' i, fedrwn i ddim. Fe ddigwyddodd rhywbeth i mi y diwrnod hwnnw am dri o'r gloch y pnawn. Dwi ddim yn deall be', fedra' i ddim egluro'r peth yn iawn. Ond mi wn mai fi oedd i fod ar y groes honno, ac nid y fo. Fe ddeudodd sawl un o'i ddilynwyr o wrtha' i wedyn iddo farw tros bawb yn y byd y pnawn hwnnw. Ydy hynny'n gwneud synnwyr i chi? Ond, yn saff i chi fe ddaru farw yn fy lle ac am fy mhechoda' i.

Ddaru o farw drosoch chi, dwi ddim yn gwybod. Penderfynwch chi, ond fe dalodd i mi ofyn:

> 'Ai am fy meiau i,
> Dioddefodd Iesu mawr?'

SEIMON O GYRENE

Da' chi wedi cael y profiad o betha'n mynd o chwith a'ch cynlluniau'n chwalu. Wel dyna ddigwyddodd i mi. Pwy ydw i, medda chithau. Seimon ydy'r enw, Sei i'm ffrindia'. Seimon Niger i roi yr enw'n llawn. 'Da chi bobl yr ugeinfed ganrif yn rhyw hanner credu mod i'n dywyll fy nghroen gan mai ystyr fy enw 'Niger' ydy du. Seimon ddu felly, a hefyd gan fy mod i'n dod o Ogledd Affrica, o Lybia, o le o'r enw Cyrene. Un o'r Iddewon ar wasgar ydw i. Cenedl felly ydan ni, wedi crwydro i bob man ac mae 'na nifer dda ohonon ni yn Cyrene. Ond er mod i'n Iddew alltud, y mae nghalon i yn yr hen wlad, y tir a roddodd Duw i Abraham.

Unwaith mewn oes, ac yn amlach na hynny os yn bosib, 'da ni'r Iddewon yn mynd ar bererindod i Jerwsalem i ddathlu'r Pasg. Mae'n bwysig inni gofio fel daru Duw ddefnyddio Moses i'n harwain o gaethiwed yr Aifft yn ôl i wlad yr addewid. Uchafbwynt y cofio ydy aberthu oen y Pasg yn y deml. 'Roeddwn wedi edrych ymlaen at fynd i'r deml, ond fel d'wedais, fe ddryswyd y cwbl.

Dydd Gwener y Pasg oedd hi ac mi wnes i yn fawr o'm cyfle i brynu anrhegion i fynd adre hefo mi i'r hogia', Rwfws ac Alecsander. Y ddau'n gannwyll fy llygaid i. Fedrwn i ddim cael anrhegion drannoeth gan ei bod hi'n sabboth. Does neb yn gweithio na'r un siop ar agor ar y seithfed dydd.

Felly es i'r farchnad yn gynnar bore Gwener i chwilio am fargen. Yn stryd y crwyn yr oeddwn i pan ddaeth gosgordd o filwyr Rhufain i'm cyfarfod yn hebrwng carcharor o Iddew i Golgotha i'w groeshoelio. Bryn oddi allan i furiau'r dre ydy Golgotha lle arferai milwyr Rhufain groeshoelio lladron, llofruddion ac ati.

Wel i chi, roedd y creadur yn gorfod cario'i groes ar ei gefn, ac roedd o wedi ymlâdd, ac yn rhyw lusgo ymlaen, yn baglu a disgyn bob yn ail a pheidio. Fel roedd o'n mynd heibio i mi syrthiodd ar ei wyneb i'r llawr. Dyna pryd y daeth un o'r milwyr ata' i a'm gorfodi i gario'r groes yn ei le i fyny'r bryn. Feiddiwn i ddim gwrthod. Anghofia i byth mo'i wyneb o – y ffordd ddaru o edrych arna' i pan rois fy ysgwydd o dan y groes a'i chario'n ei le. Ddeudodd o 'run gair ond roedd ei lygaid yn llawn diolch.

Naw o'r gloch y bora oedd hi pan y croeshoeliwyd o, a bu'n hongian ar y groes tan dri y prynhawn cyn iddo farw. 'Roedd 'nghalon i'n gwaedu drosto, ac eto trwy'r cwbl i gyd fedrwn i ddim peidio â chredu mai fo, ac nid ei elynion gafodd y gair ola'.

'Da chi'n gwybod be' ddigwyddodd iddo fo wedyn. Ond be' ddigwyddodd i mi? Cewch chi benderfynu!

Darllenwch yr adnod gynta' yn y drydedd bennod o lyfr yr Actau. Y cwbl ddeuda' i ydy hyn. Mi ges i y fraint o roi benthyg ysgwydd iddo, a fi oedd y cynta' 'rioed i godi ei groes a'i chario. . .!

Y Pentecost

Gweddi am Dywalltiad o'r Ysbryd Glân

Yn ddiwyd fe weddïwn – yn y Tŷ,
arnat Ti ymbiliwn.
Ein Tad, rho'r diwrnod hwn
dy ynni, a dihunwn.

(Einion Evans)

Y TAFOD TÂN

Pam Arglwydd mae'r Ysbryd Glân megis tân?
Ai er mwyn difa'r pechod cudd sydd ynom ar ffordd dy ddawn?
Gwyddom fod tân yn puro, ai dyna pam y bedydd tân? Os felly:

'Bedyddia ni â'r Ysbryd Glân,
Fel tân, pwerus nerthol;
Caiff ysbryd barn a llosgfa fod
Ar bechod yn wastadol'.

Neu, ai hefyd Arglwydd am ein bod ni yn llugoer, ein brwdfrydedd
yn lludw, a fflam ein sêl wedi diffodd?
Rhaid cyfaddef Arglwydd, mae fflam ein ffydd yn isel iawn a bron
diflannu'n llwyr. Am hyn rho inni'th ysbryd:

'Dy Ysbryd ddaw â gwres'.

Tania'n brwdfrydedd, Arglwydd ac ail-ennyn ein sêl:

'Dy Ysbryd sydd yn ennyn
Cynhesol nefol dân'.

Arglwydd, gwyddost y gall y wreichionen leiaf losgi canrif o dwf
coedwig. Nid gofyn wnawn ninnau am ffwrnais o'n mewn, am
goelcerth o dân. Mae'r fflam leiaf o'th eiddo Di yn ddigon i'n c'nesu
a'n gwresogi ni.

'Moes y fflam oddi ar yr allor
Ennyn ynom sanctaidd dân'.

Ond yr un pryd, Arglwydd, gwared ni rhag gofyn am hyn yn ddi-feddwl; cadw ni rhag chwarae â'r tân dwyfol a cheisio'n fyrbwyll wres dy Ysbryd di – rhag ein deifio, ein difa a'n darfod.
Yn wylaidd iawn felly tyrd atom fel ar y Pentecost gynt,

'Hiraethwn am yr awel gref,
A'r tafod tân'.

Amen.

DARLLENIAD: Actau 2: 1-13.

EMYNAU: 243, 249, 258.

GWIN YR YSBRYD GLÂN

Ein Tad, rwyt yn cofio'r helynt mae'n siŵr, 'roedd yn helynt a hanner a deud y gwir. Sôn am sioc a sgandal, dilynwyr Iesu, dy bobl Di o bawb yn çhwil – mor feddw nad oedd neb yn eu deall. Ac i 'neud pethau'n waeth yn feddw ar ddydd gŵyl, gŵyl diolch ar derfyn cynhaeaf, dydd o fawl i Ti. Ac ar ddydd mor sanctaidd disgyblion Iesu'n sbort a siou a thestun siarad.

'Doedd neb yn deall eu parablu di-ddiwedd aneglur.

Yn feddw? Celwydd bob gair, ac eto'n wir, fel gwyddost Arglwydd.

Yn chwil. Ia, ond sobr bob un.

Yn llawn o win melys? Ia, gwin yr Ysbryd Glân.

Llefaru â thafodau diethr, ia. A trigolion Libya, Pamffylia, yr Aifft a gwledydd eraill Môr y Canoldir yn clywed am dy fawrion weithredoedd Di yn eu hieithoedd eu hunain.

O! Y fath ryfeddod a'r fath lawenydd – pensgafndra'r Pentecost a medd-dod y gwin o seler yr Ysbryd Glân.

Ganwyd dy eglwys y diwrnod hwnnw trwy rym dy anadl einioes Di.

Sawl tro ers hynny y profwyd y 'tywalltiadau nerthol' ac y llanwyd dy eglwys â grym yr Ysbryd Glân?

Sawl gwaith y deisyfodd dy bobl am brofi egni'r nerthol wynt?

Sawl un fu'n ewyllysio a disgwyl am y 'cyffroadau mawr'?

Arglwydd, ar derfyn y ganrif a wêl dy eglwys gynnwrf ei dechrau?

A welir llu ar ben-llanw gorfoledd yn llifo i'th gysegr Di?

Gwyddom Arglwydd, fod angen dylifiad o'r fath, ond a ydym yn deisyf ac yn disgwyl dyfodiad dy Ysbryd?

> 'O! Anfon Di yr Ysbryd Glân
> Yn enw Iesu mawr
> A'i weithrediadau megis tân
> O! Deued Ef i lawr.'

Amen.

DARLLENIAD: Actau 2: 1-13.

EMYN: 887.

'CHWYTH DRACHEFN'

Arglwydd, fe chwŷth y gwynt lle mynno, a diflana fel ag y daeth, ac ni all neb ohonom reoli llwybr y gwynt.
Plyga'r dderwen dan ei ruthr, tyrr ei breichiau gan ei rym.

'Pan ddaw yr Ysbryd Sanctaidd, fe ddaw fel nerthol wynt
Yn rhwygo drwy'r fforestydd ac yn rhuo ar ei hynt,
Ac os **byddaf** yn y Corwynt, pan fo'r coed fel tonnau'r môr
Cura **f'enaid** megis pennwn o flaen anadliadau'r Iôr'.
(Cynan)

Pwy a saif Arglwydd ar lwybr yr Ysbryd Glân?
Pwy ddichon wrthsefyll ei rym?
Ar derfyn y Pentecost cynta' rioed daeth sŵn o'r nef fel gwynt nerthol yn rhuthro, a llenwaist Arglwydd yr holl dŷ lle'r oeddent yn eistedd, â'th Ysbryd Glân.
Ni fedrem os daw, ei wrthsefyll, ni feiddiem ei reoli chwaith, dim ond plygu i ewyllys y nerthol ddwyfol wynt.

'Ysbryd byw y deffroadau,
Disgyn yn dy nerth i lawr,
Rhwyga'r awyr â'th daranau,
Crea'r cyffroadau mawr'.

Ni welir Arglwydd yr Ysbryd Sanctaidd mwy nag y gwelir y gwynt, ond fe'i gwelwn yn llenwi hwyliau'r llong a'i gyrru ar ei hynt.
Fe'i gwelwn hefyd yn gwasgaru'r dail a'u chwythu hyd y lle, a breichiau'r felin yn troi ac yn troi gan rym ei gryfder ef.

'Chwŷth drachefn y gwyntoedd cryfion
Ddeffry'r meirw yn y glyn,
Dyro anadliadau bywyd
Yn y lladdedigion hyn'.

Chwyth arnom a phlyg ni.

'Ysbryd y tragwyddol Dduw, anadla arnom ni'.
Amen.

DARLLENIAD: Eseciel 37: 1-10.

EMYN: 902.

104

FEL GWLITH

Arglwydd, ai fel gwynt nerthol yn rhuthro ac fel fflamau o dân y daw'r
Ysbryd Glân bob tro? Nid oeddet yn y gwynt, na'r ddaeargryn na'r tân
ar fynydd Horeb. Daethost at dy broffwyd drwy'r distawrwydd, y llef
ddistaw fain.
Anamal iawn yr ymwelaist â'th eglwys yn dy 'rwysg a'th rym'.
Yma yng Nghymru, unwaith yn unig y ganrif hon y clywyd ac y
teimlwyd y gwynt a gweld y tafodau tân; ond diolch i Ti fod miloedd
ers dechrau'r ganrif, ac ar ôl y diwygiad wedi derbyn yr Ysbryd Glân.
Chlywyd mohono'n rhuo – welwyd mohono'n tanio, ond daeth heb
gynnwrf na sŵn, a disgyn ar dy blant yn ysgafn fel colomen neu fel
'gwlith ar ddistaw ddôl'.
Fel mae'r gwlith yn golchi a glanhau'r gwelltyn, felly'r Ysbryd Glân.
Os deui weithiau yng ngrym a nerth y Pentecost mae i'th Sulgwyn ei
lendid hefyd:

> 'O! Golch **ni** beunydd, golch **ni'n** lân
> Golch **ni** yn gyfan, Arglwydd'.

Ymwêl â ni y Sulgwyn hwn yn dawel a distaw garedig ysbryd.

> 'O! Tyred i'n glanhau
> O bob anwiredd'.

Daw mor dawel fel na sylwir arno, ac mae'n disgyn mor ysgafn fel nas
teimlir, a daw heb inni wybod:
sawl tro rwyt wedi 'esmwythau blinderau bywyd'?
Sawl tro rhoist inni'r 'hedd na ŵyr y byd amdano'?
Dy ysbryd di pryd hynny oedd ar waith, a ninnau heb ddeall ar y pryd.
Dyro inni eto'r Sulgwyn hwn yr hedd a

> 'wna i'n weithio'n dawel
> Yng ngwaith y nef, dan siomedigaeth flin'.
> Yr hedd '. . . na all y stormydd garwaf
> Ei flino byth, na chwerwi ei fwynhad'.

Bendithia ni â hedd y Sulgwyn,
a thangnefedd yr Ysbryd Glân.
Amen.

*DARLLENIAD: I Brenhinoedd 19: 8-13 'Aeth Elias at Horeb, mynydd
Duw . . . lapiodd ei wyneb yn ei fantell'.*

EMYNAU: 423, 447.

Diolchgarwch

Gŵyl Ddiolchgarwch

I'r Duw Mawr – a'i dymhorau – y canaf
yn f'acenion gorau.
Er i ni ymdrin a hau
Hwn yw Awdur y cnydau.

(R. Jones)

Dydd Diolchgarwch

Wedi'r rhodd a'r daer weddi, – wedi'r dweud,
Wedi'r dydd o foli,
Rhoi mwy 'nawr yw'n rhwymau ni,
Byw a diolch heb dewi.

(R.J. Roberts, *Clychau'r Gynghannedd*)

LLAWENYDD A HARDDWCH CARIAD

Ein Tad, yr hwn wyt yn y nefoedd, diolchwn i Ti am fendithion y ddaear hon. Fedrwn ni byth restru dy roddion i gyd, mae nhw mor niferus. Diolchwn am y llawenydd sydd ynghlwm wrthynt. Llawenydd y tymor arbennig hwn. Er bod y dail yn newid eu lliw a'u lle a'u cwymp yn agos, nid oes tristwch yn nail hydref. Fel yr haf, felly'r hydref, 'marw i fyw' a wna.

Diolch wedyn am harddwch y tymor. Wrth newid eu gwedd, a'u gwisg, mae'r coed, y perthi a'r llwyni yn dapestri hardd, a lliwiau'r enfys ym mhasiant y blodau. Felly dy roddion a'th fendithion, y llawenydd a'r harddwch sydd iddynt. Ond er eu cystal, mae'r harddwch a'r llawenydd a berthyn i'r rhodd fwyaf a gawsom sef Iesu Grist, yn rhagori llawer iawn mwy.

'Mae Iesu'n fwy na'i roddion'.

Tra'n diolch am y llawenydd ddaeth i ni drwy dy roddion a'th fendithion, boed yn iechyd, bwyd, dillad, cartrefi, teulu, cyfeillion a phob diddanwch, diolchwn am dy gariad atom yn Iesu Grist sy'n rhagori ar bob peth. Cariad wyt ti, y cariad sydd yn creu bywyd. Dy gariad di sydd yn creu pob cariad -

Cariad sydd yn dioddef i'r eithaf, yn credu, gobeithio a dal ati i'r eithaf.

Y cariad nad yw'n cenfigennu, ymffrostio nac yn ymchwyddo.

Y cariad nad yw'n gwneud dim sy'n anweddus nac yn ceisio ei ddibenion ei hun.

Y cariad nad yw'n darfod byth, a Iesu Grist ei hun yw'r cariad hwn sy'n rhoi i ni'r llawenydd mwyaf un.

'Gweld ŵyneb fy Anwylyd
Wna im henaid lawenhau,
Trwy'r cwbwl ges i eto,
Neu fyth gaf ei fwynhau;
Pan elont hwy yn eisiau,
Pam byddaf fi yn drist
Tra caffwyf weled ŵyneb
Siriolaf Iesu Grist.'

Pa lawenydd all ragori ar hyn Arglwydd? Pa harddwch hefyd?

'Gwyn a gwridog, teg o bryd;
Ar ddeng mil y mae'n rhagori
O wrthrychau penna'r byd'.

Felly, ein Tad Nefol, wrth gyflwyno ein diolch am bob peth, ac am yr harddwch a'r llawenydd a ddaw yn sgîl dy roddion a'th fendithion, tystiwn ninnau hefyd fel Ann Griffiths o Ddolwar Fach nad oes un dim all gystadlu â'r Iesu mawr:

'O! Am aros
Yn ei gariad ddyddiau f'oes'.

Amen.

DARLLENIAD: I Corinthiaid 13.

EMYNAU: 174, 195.

107

DDOE A HEDDIW

Arglwydd, diolchwn am amser arbennig i ddiolch. Bu Diolchgarwch unwaith yn ddydd o orffwys heb ddim gwaith. Chwarel, cloddfa a phwll yn dawel a di-stŵr. Siop, swyddfa a gweithdy – y cwbwl oll dan glo, ac ni chlywid cloch yr ysgol chwaith. Yn nyddiau'r trowsus bach pen-glin, paradwys oedd y dydd hwn, a'r 'sgidiau hoelion trwm heb lwch yn sgleinio fel pisin swllt – offrwm y bore yng ngwasanaeth y plant. Y casgliad a gweddiau'r 'Saint' mor bwysig â'i gilydd. Ar derfyn oedfa'r pnawn rhoid cyfri manwl am gynnwys yr amlenni bach a'r arian rhydd. Felly, hefyd ar derfyn oedfa'r hwyr – cyfanswm holl gasgliadau'r dydd, pob punt a swllt a cheiniog yn gysact. Mawr yr holi drannoeth yn y gwaith a iard yr ysgol 'pa gapel gasglodd fwyaf un?'

Diolch Arglwydd am y gystadleuaeth iach o roi i gynnal a chadw dy achos Di drwy'r flwyddyn ar ei hyd. Daw hiraeth Arglwydd yn ein dyddiau prysur ni am ddyddiau fu. Hiraeth am hamdden trannoeth wedi'r trydydd Sul yn Hydref gynt, a'r diwrnod drwyddo draw, yn union fel y Sul yn dri gwasanaeth fore, p'nawn a hwyr.

Diolch i Ti Arglwydd am gyfle i ymarfer dawn a bwrw prentisiaeth yn oedfa'r ifanc a'r plant:

> 'Da yw bod wrth draed yr Iesu
> Ym more oes,
> Ni chawn neb fel ef i'n dysgu
> Ym more oes.'

Go brin y byddem yma heddiw yn gweddïo oni bai am y cyfle hwnnw.

Yna'r p'nawn a'r hwyr – yr un un drefn, pwy oedd i ddilyn pwy, a'r un rhai a gymerai ran am flwyddi maith. Pob un â'i ddull ei hun wrth blygu glin gerbron gorsedd gras. Os trwsgwl ydoedd ambell un wrth geisio dod â geiriau ynghyd, diffuant oeddent wrth eirio'n gloff, a'r diffuantrwydd hwnnw'n taro deg.

Diolch i Ti am yr hyn a gaed ddydd Llun ddilynai'n drydydd Sul yn hydref bore oes.

Roedd eraill yn eu plith yr un mor ddilys ger dy fron yn geirio'n gelfyddyd gain, a geiriau dethol wedi eu plethu'n dynn i wead eu gweddïau taer. Bu'n brofiad mynychu'r ysgol weddi hon i wrando arnynt b'nawn a hwyr, ac elwa ar eu profiad, a dysgu drwyddynt fod rhaid wrth naturioldeb, gonestrwydd, gostyngeiddrwydd ac edifeirwch wrth nesu a chlosio atat Ti.

Er nad oes cymaint bri ar ddydd diolchgarwch mwy, diolch y deil yr arferiad yn ein plith o hyd, a bod rhai yn gweled gwerth o restru'r bendithion a'r rhoddion gawsom gennyt Ti, a diolch amdanynt ger dy fron. Er mwyn cynnal yr achos sy'n ein cynnal ni, derbyn ein diolch a'n rhoddion, Arglwydd da, clyw ein gweddïau o ddiolch i Ti. Amen.

DARLLENIAD: Salm 65: 9-13.

EMYN: 927.

MAE'N HYDREF UNWAITH ETO

Arglwydd da, mae'n Hydref arnom unwaith eto, mis casglu'r 'cnau
fu'n melynu'r cyll',

mis 'caea'r dydd ei lygad
cysglyd yn gynt a chynt',

mis diolchgarwch am roddion dy greadigaeth di.

Pa ran o'r ysgrythurau, Arglwydd, y dylem ddarllen wrth ddathlu'r
ŵyl? Cyn derbyn, rhaid i rywun roi. Ai addas felly hanes porthi'r
miloedd ar bum torth haidd – offrwm diolch rhyw fachgen bach?

Ond hawdd i ni yw darllen hanes porthi y pum mil a'r cwpwrdd
bwyd yn llawn. Cawn ddewis beth i'w fwyta tra bo miloedd yn ein
byd heb ddim.

Os felly Arglwydd, onid gwell yw darllen am y gŵr cyfoethog gynt
fu'n gwledda'n fras o ddydd i ddydd gan anwybyddu'r tlotyn wrth
ei ddrws? Ni chafodd hwnnw'r truan, hyd yn oed friwsion a sbarion
bwrdd y wledd.

Ei ddillad carpiog fel ei friwiau'n ddrewllyd oll – y briwiau hynny a
lyfai'r cŵn – ych a fi. Mae'n stori anymunol Arglwydd, a diwedd trist
i'r gŵr cyfoethog da ei fyd. Wnaiff y stori hon mo'r tro; prun bynnag
ni welir mwy y trempyn yn crwydro a begera hyd y wlad; ac ni fu
Lasarus yn curo drysa'n tai ers amser maith.

Be' ddwedaist Arglwydd, fod Lasarus yn ein tai, o fewn y gegin neu'r
parlwr clyd, lle bynnag fo'r teledu'n digwydd bod? Ac nid un yn
unig a welir ar y sgrîn, ond miloedd tebyg yr un fath a'r un wyneb
gan bob un – wyneb penglog a'r wefus wedi cracio i gyd, a phryfaid
yn y clustiau, ffroenau a'r llygaid llonydd.

Yr un corff sy' iddynt hefyd oll – corffyn bregus ar goesa' pricia'
main ac esgyrn yr asenna'n gawell o gylch y bol chwyddedig fel
balŵn.

Cau'r drws yn wyneb y cardotyn tlawd a wnaed yn stori'r gŵr
cyfoethog – troi'r botwm neu newid sianel a wnawn ni. Ym miri'r
opra sebon anghofiwn am y Trydydd Byd.

Rhoi y cwbwl wnaed wrth roi y bara haidd a'r ddau bysgodyn, a'r
Iesu yn ei dro'n digonni pawb â'r offrwm hwn.

Ydy, mae'n Hydref arnom unwaith eto, Arglwydd da, mae'n fis i ddathlu'r diolchgarwch am dy roddion di; a diolchwn hefyd am neges clir dy Air, a'th fod drwy'r ysgrythurau'n siarad heddiw gyda ni.

Diolch iti, Arglwydd da.

Amen.

DARLLENIADAU: Ioan 6: 1-13; Luc 16: 19-26.

EMYN: 789.

Y Nadolig

Gŵyl annwyl y goleuni – roes arwydd
Drwy seren i foli;
Gŵyl hanes y gwael eni
Oesau'n ôl, rhoi Iesu i ni.

(R. J. Roberts, *Clychau'r Gynghannedd*)

Y RHYFEDDOD MWYAF UN

Ymhlith holl ryfeddodau'r nef,
Hwn yw y mwyaf un -
Gweld yr anfeidrol, ddwyfol, Fod
Yn gwisgo natur dyn.

Gweddiwn:
Tydi, crëwr yr holl fyd, mewn cadachau!
Tydi, Arglwydd y greadigaeth yn swpyn gwinglyd, diymadferth!
Ond dyna hanes y baban hwn o'i grud i'w groes, bob amser yn cyflawni'r annisgwyl -

Plygu yn lle torsythu,
y Meistr, fel gwas bach, yn golchi traed.
Cerdded yr ail filltir a throi y foch arall;
maddau'n lle melltithio a charu'n lle casáu.
Dewis ffol bethau'r byd a dod i'n plith yn faban heb ei wannach.

Chafodd neb o bobl Bethlem ddiwrnod i'r brenin y 'Dolig cynta' hwnnw,
'doedd neb yn ei iawn bwyll yn credu bod Duw yn y byd fel Dyn Bach,
gwrthodwyd llety i Frenin Bywyd a'i roi ym mhreseb yr anifail -

'Y mab Iesu ym maw a biswail,
A Duw yn y domen dail'.

Felly heddiw, yn aml, Arglwydd,
fel doethion y ganrif gynta', mae gwybodusion byd yn dal i ryfeddu at y sêr uwchben.
O! Arglwydd, maddau i ni am ymchwyddo oherwydd ein gallu i

112

wibio trwy'r gofod, maddau ein hymfalchio bostfawr am i ni droedio'r lloer, a'n hymffrost am i ni gerdded trwy'r gwagle. Arglwydd, maddau i ni ffolineb ein doethineb.

Boed i ni oll sylweddoli'r Nadolig hwn, fod y rhyfeddod mwyaf un islaw seren Bethlem -

'Ni wyddom am ddim rhyfeddach, – Crëwr
Yn crïo mewn cadach . . .'

Tydi, o bawb, mewn gwely gwair, yn y canol,
rhwng angel ac asyn,
rhwng bugeiliaid a brenhinoedd
rhwng Mair a Joseff.

Arglwydd, ar hanner nos y Plygain, noswyl y Nadolig hwn,
boed ein bywydau yn llety i'r Rhyfeddod mwyaf un,
a phob calon yn breseb i Ti,
a Thithau yn ganolbwynt ein dathlu,
a'r llawenydd oll yn cylchdroi o'th gwmpas am i ni weld -

Yr anfeidrol ddwyfol, Fod
Yn gwisgo natur dyn.

Amen.

DARLLENIADAU: Mathew 2: 1-2, 10-11; Luc 2: 1-7.

EMYN: 110.

PWY OND TYDI, O! DDUW?

Pwy ond tydi, O Dduw,
fyddai'n dewis y gwan i gario'r cryf?
Ni'n ymddiried mewn byddin,
Ti'n ymddiried mewn baban.
Mor syml, mor syfrdanol dy weledigaeth:
'Canys bachgen a aned i ni,
mab a roddwyd i ni,
a bydd yr awdurdod ar ei ysgwydd.'
Bachgen bychan yn arwain
fel bo'r blaidd yn trigo gyda'r oen,
y llo a'r llew yn cyd-bori,
a'r fuwch a'r arth yn gyfeillion.

Baban mewn preseb ail-law,
ac uwch ei ben yn plygu
y tlawd a'r cyfoethog,
gwerin a bonedd,
bugeiliaid a doethion.

Pwy ond Tydi, O Dduw
ddefnyddiai blentyn sugno
i ddwyn y pell yn agos,
i droi'r hunanol yn hael
fel bo'r barus yn barod i rannu.
Deuwn at ei breseb,
plygwn i'w addoli,
rhown iddo offrwm ein calon
fel yr awn o'ma
o stabal Bethlem i strydoedd y byd,
a cherdded ffordd tangnefedd, tosturi a thrugaredd;
rhodio llwybrau cyfiawnder a chariad
drwy ddilyn ôl ei droed.
Amen.

DARLLENIAD: Eseia 11: 1-10.

EMYN: 160.

114

AGOR EIN LLYGAID,
EIN CLUSTIAU A'N C'LONNAU NI

Ein Tad, Ti'n unig all agor ein llygaid.
Da ni'n ddall yng nghanol goleuada'r byd
rhai llachar, rhai lliwgar -
mae nhw mhobman,
yn hongian o stryd i stryd,
yn llusern a channwyll ar goed Nadolig,
yn fflachio'n ffenestri'r siopa.
Arglwydd, cod ein golygon
yn uwch na'r goleuada' neon,
i weld unwaith eto ddisgleirdeb y seren
yn pefrio uwchben Bethlem,
a bys ei phelydr yn pwyntio at y preseb.

Ein Tad, Ti'n unig all agor ein clustiau.
Da ni'n fyddar yng nghanol holl synau'r byd -
rhai stwrllyd rhai sgrechlyd – mae nhw mhobman,
gwledydd byd yn dadla' hyd daro,
gwleidyddion yn clebran a ffraeo,
tramp traed tyrfaoedd yn heidio am fargen,
a sŵn masnach yr ŵyl yn merwino'r glust.
Arglwydd, gwna i ni glywed
drwy'r mwstwr i gyd
rhyw lais bach
fel bo'r dadwrdd i gyd yn distewi
i sŵn baban yn sgwrsio'n ei grud.

Ein Tad, Ti'n unig all agor ein c'lonnau.
Da ni'n ddi-edifar yng nghanol pechodau'r byd -
rhai slei, rhai 'strywgar -
mae nhw mhoman,
ym mhawb ac ynom ni.
Gwelwn yn eraill
ein beiau ein hunain.
Ynghanol digonedd ein 'Dolig

anghofiwn heb ofid yr unig a'i gri.

Arglwydd, gad i ni deimlo ynghanol yr oerni, gynhesrwydd dy
gariad
y cariad fu'n gorwedd mewn preseb
y cariad fu'n gorwedd ar groes.
Amen.

DARLLENIAD: Luc 2: 8-20.

EMYN: 198.

Y MAE'N GWNEUD RHYFEDDODAU

Arglwydd, cawsom
fyd rhyfeddol i fyw ynddo!
Os ydio'n hen fyd od a rhyfedd
mae o hefyd yn dda i'w ryfeddu.
Fel deudodd y Salmydd:
'Diolchwn i'r Arglwydd mai da yw
Y mae'n gwneud rhyfeddodau
oherwydd mae ei gariad hyd byth'.

Arglwydd,
pa un yw y rhyfeddod mwyaf un?
Iesu gynt yn cerdded ar Fôr Galilea?
Be 'di hynny i gamp dyn ein hoes ni?
Fe lwyddodd hwn i lamu i'r gofod
a cherdded yn y gwagle.
Ai dyma'r rhyfeddod mwyaf?
Y rhyfeddod mwyaf yw nid dyn mewn 'capsiwl'
ond Duw mewn crud.

> 'Ymhlith holl ryfeddodau'r nef,
>   Hwn yw y mwyaf un -
> Gweld yr anfeidrol ddwyfol Fod
>   Yn gwisgo natur dyn'.

> 'Ni wyddom am ddim rhyfeddach – Crëwr
>   Yn crïo mewn cadach,
>   Yn Faban heb ei wannach,
>   Duw yn y byd fel Dyn bach.' *

Dyna'r rhyfeddod mwyaf un.
Amen.

* Gwaith Eirian Davies

CAWSOM FYD RHYFEDDOL

Arglwydd da
cawsom fyd rhyfedd i fyw ynddo
– pelen gron sy'n fyd sgŵar,
daear sy'n bedair ochr,
ac o fewn i'r ciwb hwn o fyd
mae gobaith ym mhob cornel.

Wrth roi anrhegion Nadolig drud
a'u lapio'n dwt mewn bocsus llachar
boed i ni gofio trigolion y blychau cardbord,
y rhai a pharwydydd eu haelwydydd yn denau,
- tenantiaid tai cardbord Charing Cross a Stesion Fictoria
yn swatio a rhynnu mewn cartre unos,
cartre petryal dros dro rhag gwynt y nos.
Gwnawn barsel o'n cariad eleni
a'i lapio'n ofalus â phapur lliwgar gras a thosturi
a'i anfon i Charing Cross a Stesion Fictoria.
O'i agor fe dry eu trigfan cardbord sgŵar
yn aelwyd gron llawn gobaith.

Arglwydd da,
siawns na fedrwn fegera yn siopau'n trefi,
begera am focsus gwag
a'u llenwi'n llawn i gyfarfod ag anghenion
plant y Nadolig yn nhlodi'r byd.
Eu llenwi mor llawn nes byddant yn bochio
gan gymaint ein gofid a'n gofal ohonynt,
a'u clymu bob un â ruban hardd rhwymyn daioni.

O! Arglwydd da,
boed i Ti y Nadolig hwn
droi pob dinas yn Ddinas Dafydd,
a'r capel sgŵar hwn yn stabl,
a hen focs cardbord yn breseb
ac ynddo y mab bychan

yn annog pawb,
hen, canol oed ac ifanc
i gofio am eraill, i rannu a rhoi fel bo'r byd sgŵar hwn
yn belen llawn gobaith
yn troi am byth ar echel dy gariad.

Arglwydd da,
cawsom fyd rhyfeddol i fyw ynddo.
Amen.

EMYNAU: 168, 196.

Darlleniadau

'DYMA GEIDWAD I'R COLLEDIG'

Emyn 196

> 'Dyma geidwad i'r colledig,
> Meddyg i'r gwywedig rai'.

Morgan Rhys biau'r geiriau. Roedd o'n byw yn Sir Gaerfyrddin yn y ddeunawfed ganrif. Mae'r 'colledig' a'r 'gwywedig rai' efo ni o hyd. Yn ôl Morgan Rhys fe roddwyd y 'gwerthfawr drysor' yn y preseb er mwyn y rhai colledig, ac i ddangos bod Duw'n cofio ac yn caru 'llwch y llawr'. Yng nghanol siou a phrysurdeb y 'Dolig, mae'n beryg inni anghofio hynny. Hen fyd rhyfedd ydi o – ni'n cael gormod ac eraill heb ddim. Rhai â'u bywyd yn llawn, lleill â'u bywyd yn llwm.

Heno, ar noswyl Nadolig,
nyni yn ddiddos ar aelwyd glyd,
tra bo eraill yn ddiymgeledd ar y stryd.
Ia, hen fyd rhyfedd ydi o.

BE' YDY 'DOLIG?

Be' ydy 'Dolig? Be' ydy 'Dolig?
Tanjarîns a thrimins, sebon a sent a sanna a slipars.
'Dolig ydy 'Away in the Manger' dros y lle ar y stryd yn Llandudno a
    Chaerdydd.
'Dolig ydy silffoedd o dinsyl, cracyrs a pheli bob lliw.
'Dolig ydy cinio 'Christmas spesial' yn Wimpeys.
A beth am y twrcwns yn y rhewgell yn Tesco ac Asda a'r
pacso a'r oxo a'r eisin ar deisen?
'Dolig ydy lapio presanta a fflamio wrth fethu
cael selotêp yn unlle, a sgwennu dwsina o gardia.
Presanta, presanta, yn dracswît a treinyrs neu
noson o ddisgo yn y clwb.
A be' gaf i y 'Dolig – dillad trendi o Dorothy Pyrcins

a sgidia handi o Freeman Hardi,
record neu ddwy a bocsus o fferins?
'Dolig ydy meddwl a meddwl be ga' i i mam.
Fe wnaiff sana a'r hen betha shafio eto i dad.
Beth arall ydy 'Dolig? Llond grât o dân ac
eira ym mhob man ac ogla mins peis yn llenwi'r tŷ.
Hei, ai hyn ydy'r 'Dolig?
Tanjarîns a thrimins, sebon a sent?
Nid felly oedd y cyntaf,
ond stabal llawn drafftia a chracia'n y walia
ac ogla tail gwartheg yn llenwi ffroena . . . a baban
mewn preseb, bocs bwyd yr anifail.
Ia, baban mewn preseb.
Dyna sy'n gwneud 'Dolig yn 'Ddolig o hyd.

'SEREN FFYDD'

Doedd dim rhaid i Mair boeni.
Wrth ffoi gyda'i baban ymhell i'r Aifft, allan o gyrraedd Herod, roedd
    yn mynd â Duw ei hun gyda hi yn ei chesail.
Y Duw byw yn faban bach.
Garech chi fynd i Fethlem i weld y baban hwnnw?
Does dim rhaid i chi fynd i 'Israel Travels' i brynu ticad i hedfan i
    TEL-AVIV.
Does dim angen awyren na bws wedyn i fynd â ni i Fethlem.
Does dim rhaid i ni symud gam o fama i fynd i Fethlem.
Y cwbwl sy' isio ydy'r seren i'n harwain ni at y crud -
Seren newydd, Seren ffydd.
Dilynwn oleuni seren ffydd, ac fe ddown o hyd i Deyrnas Dduw,
    ac nid teyrnas pot-jam mohoni.
Mae Bethlem yn eich calon chi a fi,
yn llety ein bywyd,
yn stabal ein meddwl.
Ac ym mhreseb ein cariad
Fe enir Iesu unwaith eto.
Mae ei deyrnas oddi mewn i ni.

Awn â'i Deyrnas gyda ni i ble bynnag yr awn.
Weithiau, mae'n faich, dro arall yn llawenydd pur.
Ein bywyd ni yw ei Deyrnas Ef.
Chi a fi yn lamp i Goleuni'r Byd.
Chi a fi yn seren newydd i arwain eraill at ei grud.
Ynom ni mae ei Deyrnas dragwyddol,
Y gwawd a'r dioddef,
Y gallu a'r gogoniant.
Dyma'r Crist ynom ni,
A gydag Ef, mae ei Fethlem
Ynom Ni.
Awn heno, rŵan, y funud hon
i Fethlem yr ysbryd
lle y genir Iesu ynom ni.

'Canys bachgen a aned i ni,
Mab a roed i ni,
A bydd yr awdurdod ar ei ysgwydd.'

Eiddo Ef yw'r deyrnas, y gallu a'r gogoniant.
Dy eiddo ym, O! Iesu da.

BETHLEHEM

'O Dawel Ddinas Bethlehem'

Mi fydd llawer ohonom yn ystod Gŵyl y Geni yn troi tua Bethlehem.
Be wyddoch chi am y dref honno tybed?
Tref fechan yw hi, chwe milltir i'r de-orllewin o Jeriwsalem. Tre ar ochr
bryn, dwy fil a hannar o droedfeddi uwchlaw'r môr.
Mae 'na stryd fawr yno'n llawn siopa swfyniyrs a gweithdai gwneud
stablau pren, mulod, camelod, a defaid pren o gwmpas preseb bach
pren.
Gwneud swfynirs y geni ydi prif ddiwydiant Bethlehem heddiw, a'u
gwerthu nhw i bob rhan o'r byd.
Ac yno, uwchben y dref, ar ben y bryn, mae 'na andros o eglwys fawr –
Eglwys y Geni.

Os ewch chi yno yng nghanol pnawn poeth y Dwyrain Canol mi fyddwch yn chwys doman dail wrth gerdded i fyny'r allt serth at Eglwys y Geni.

Hanner ffordd i fyny mae 'na gwt sinc yn gwerthu Coco-cola efo rhew ynddo.

Be gewch chi well i dorri sychad?

Ond, oddi mewn i'r Eglwys ei hun ma hi'n oer, ac yn isal yn seler yr eglwys mae 'na seren artiffisial o arian yn dangos y fan a'r lle y ganed Iesu Grist – medda nhw!

Ond ym mhle y ganwyd Iesu Grist? Yn y Fethlehem go iawn 'roedd 'na seren newydd yn sgleinio uwchben cafn bwyd asyn a chamel, a babi go iawn yn gorwedd yn y gwellt.

Preseb anifail yn grud i galon a meddwl y greadigaeth a seren newydd uwchben.

Ia, dyna sut le yw Bethlehem.

HEROD

P'run ydi'r gwaethaf, siarc yn y môr neu benbwl mewn pot jam? Siarc peryglus oedd Cesar Awgwstws, ond penbwl mewn pot jam oedd y brenin Herod. Roedd gan Awgwstws fôr o deyrnas yn ymestyn o Segontiwm yng Nghymru i Syria bell. A Herod? Dim ond gwlad fach Palesteina oedd ei deyrnas o – llond pot jam o wlad, dyna'r cwbwl. Ond rhowch chi benbwl mewn pot jam, ew, mae o'n meddwl ei fod yn fawr a phwysig. Doedd Herod ddim am rannu ei bot jam pitw efo neb. Meddyliwch, mi laddodd hwn 35 o arweinwyr crefyddol ei wlad, am iddyn nhw feiddio pregethu yn ei erbyn. Petai o'n gwneud hynny yma yng Nghymru heddiw, fasa 'na fawr neb ar ôl i lenwi'n pulpuda' ni!

Doedd o'n meddwl dim o'i fam-yng-nghyfraith chwaith, fel llawer un arall mae'n siŵr!

Ond fe fwrdrodd hwn ei fam-yng-nghyfraith!

Ymhen amser fe ddaru o flino ar ei merch, Marianne ei wraig, ac fe lofruddiodd o honno hefyd!

Roedd o isio'r pot jam i gyd iddo'i hun.

Nid dyma ddiwedd y stori: pan ddaru dau o'i feibion ddechra nofio yn nŵr y pot jam, fe dagodd Herod y ddau i farwolaeth.

Pum niwrnod cyn i Herod farw, mi glywodd fod mab arall, un o'r enw Antipater, am gymryd ei bot jam, a rhoddodd orchymyn i'w ladd o, a dyna ddigwyddodd.

Be oedd ots gan Herod am deuluoedd pobol eraill, ac ynta wedi lladd cymaint o'i deulu ei hun – ei wraig a thri mab?

Be' oedd bwys gan hwn am blant bach Bethlehem?

Doedd Joseff a Mair a'u plentyn bach yn golygu dim iddo.

Os oedd y plentyn hwnnw am fod yn frenin a chymryd ei deyrnas pot jam oddi arno, yna, roedd yn rhaid lladd plentyn Mair, ac i wneud yn siŵr fod hynny'n digwydd, fe laddodd bob un o'r plant oedd yn ddyflwydd oed neu lai. Dim ond mewn pot jam mae penbwl yn fawr a phwysig, ond fe dyfith penbwl yn lyffant, ac mi fydd y pot jam yn rhy fach iddo – fel yr aeth y pot jam yn rhy fach i Hitler ac yna fe gewch chi Belsen, Dachau ac Auchswitz.

Teyrnas y tywyllwch ydi teyrnas pob Herod.

Yn nhywyllwch y deyrnas honno fe belydrodd gobaith seren newydd sbon – SEREN BETHLEHEM.

Y MUL

Helo, sut ydach chi? Fel arfer fyddai ddim yn deud Helo, – Hi-ho fyddwn ni'r mulod yn ei ddeud. Be, wyddoch chi ddim fod mulod yn medru siarad? Wel, 'da chi'n gwybod rŵan. A chitha'n meddwl mai rhyw griadur styfnig ydy mul. Ylwch chi, 'da ni'r anifeiliaid yn deall ac yn gwybod mwy na 'da chi'n ei feddwl.

'Rown i'n gwybod pwy oedd Mair a Joseff, ond doedd gan ŵr y llety ddim syniad pwy oedd y ddau, neu mi fasa' wedi rhoi rhywla gwell na stabal iddyn nhw. 'Da chi'n gweld, fi ddaru gario Mair bob cam o Nasareth i Fethlehem, ac mi rown i'n gwybod ei chyfrinach hi. A pheth arall, pan anwyd yr un bach yn y gwellt, mi glywais Joseff yn sibrwd yn ddistaw y gair 'Imaniwel'. Peidiwch â deud nad ydach chi'n deall be' ma' 'Imaniwel' yn ei feddwl – 'Duw gyda ni', siŵr iawn, mae pob mul yn gwybod hynny.

Dyna fo, 'da chi fel pobl yn meddwl ych bod chi'n gwybod bob peth ac yn gallach na ni'r anifeiliaid.

Ond yn amlach na pheidio 'da chi'n fwy styfnig na ni'r mulod. Yn lle plygu dipyn bach mae'n well ganddoch chi ryfela a lladd y naill a'r llall. Dwi'n cyfadda bod mulod yn rhoi ambell i gic weithia, mi glywsoch chi am gic mul yn do? Ond glywsoch chi am fulod yn lladd ei gilydd rywdro? Wel, naddo siŵr iawn.

Dwi'n ama weitha os oes ganddoch chi fwy o gomon sens na ni'r anifeiliaid.

Ylwch, dwi 'di deall be' ydy neges y Nadolig, pam y ganwyd Iesu'r Imaniwel.

Ydach chi?

Wel, mi ddeuda' i wrthoch chi – y neges ydy fod Duw wedi dod atoch chi, i chitha fod gyda Duw.

Dyna'r unig ffordd y medrwch chi gyd-fyw yn iawn efo'ch gilydd yn lle bod chi'n bihafio'n waeth nag anifeiliaid.

Y DDAFAD

Os 'da chi'n deud bod pobl yn styfnig fel mul, 'da chi'n deud hefyd am ambell un ei fod yn ddwl fel dafad. 'Pen dafad' ddeudwch chi am rywun di-glem a gwirion ynte?

Os ydan ni ddefaid mor wirion â 'da chi'n feddwl, pam y galwyd y baban anwyd ym Methlem yn OEN DUW? Meddyliwch chi am y peth. 'Oen Duw, sy'n tynnu ymaith bechodau'r byd', a dyna chi rywbeth y medrwch chi gnoi cil arno!

A deud y gwir, pendwmpian a chnoi cil oeddwn i'r noson oer honno ar y bryniau uwchben Bethlehem. Dyna oedd y bugeiliaid yn ei 'neud hefyd ac yn hanner cysgu o gwmpas tanllwyth o dân. Doedd ganddyn nhw ddim topcôt o wlân i'w cadw'n gynnes. Ond fe ddigwyddodd rhywbeth, a choeliwch fi, fe ddaru nhw ddeffro a neidio ar eu traed mewn eiliad, a phob un wedi dychryn ac yn crynu yn eu 'sgidia. Hen hogia mawr tyff, mewn panic, a nhwtha wedi arfar herio lladron defaid a lladd bleiddiaid. Dyna lle'r oeddan nhw'n gwegian mewn ofn a'u penglinia' nhw fel jeli. Un peth ydy lladd blaidd a llew mynydd, peth arall ydy dod wyneb yn wyneb ag angel Duw. A chyn y medrwn

125

ni ysgwyd fy nghynffon, mi roedd 'na gannoedd o angylion o gwmpas y lle. Roedden nhw 'mhob man ar unwaith, a phob un wrthi ffwlpelt yn canu'i ora' glas. Dyna chi gân – mi ddoth yn nymbar wan yn y siartia'. Roedd y gân yn deud fod 'na faban wedi ei eni y noson honno ym Methlem, ac y bydda' hwnnw wedi tyfu yn deud wrtho' ni sut i gael heddwch yn y byd, a sut mae cael ewyllys da ymhlith dynion. Dyna chi gamp.

Ond cyn y digwyddith hynny, rhaid i chi bobl fod yn debyg i ni'r defaid. 'Da' ni'r defaid yn gwrando ar lais y bugail ac yn ufuddhau iddo. Wedi tyfu, fe ddeudodd y baban a anwyd ym Methlehem 'Myfi ydy'r Bugail da'. Da chi, byddwch yn debyg i ni'r defaid, ewch ar ôl y Bugail, ac er mwyn popeth gwrandwch arno.

CAMEL

'Dwi'n cytuno'n llwyr efo'r ddau arall, mi gawsom ni'r anifeiliaid gystal os nad gwell cyfla na phobl i weld a deall be' oedd yn digwydd ym Methlehem adeg y geni. Roedd y mul yno pan anwyd Iesu, a doedd porfa'r defaid ond tafliad carreg i ffwrdd, yn y bryniau uwchlaw'r dref. Ond mi fuom ni yn teithio am fisoedd dros gannoedd o filltiroedd er mwyn cael y fraint. Cofiwch chi, ar y pryd, yn ystod y daith, mi ddaru mi gwyno llawer. Roedd y daith yn hir i gamel hyd yn oed, ac mi fedran ni gamelod ddal straen siwrna yn well na neb arall. Tawn i wedi cael fy ffordd fy hun, mi faswn i 'di troi'n ôl a'i gleuo hi am adra'. Ond dyna fo, ches i ddim, ac erbyn heddiw 'dwi'n falch i mi gyrraedd Bethlehem.

Ar y dechra mi ges i dipyn o siom. 'Da chi'n gweld, roedd fy mistar i yn ddyn deallus iawn. Athro mewn coleg oedd o, yn 'studio'r sêr a'r planedau ac ati. Yn ystod y daith hir mi glywais o'n deud sawl tro wrth ei ffrindia', bod 'na frenin wedi cael ei eni. Ac roedd ganddyn nhw anrhegion ar gyfar brenin. Ond wedi cyrraedd Bethlehem fe neidiodd fy nghalon i'r lwmp ar fy nghefn i, achos doedd y lle ddim byd tebyg i balas. A deud y gwir roedd y lle'n anghynnas ac yn drewi o ogla tail gwartheg. Mi feddyliais am funud fod yr athro, fy mistar, wedi gneud mistêc ac wedi dwad i'r lle rong. Ond yna, mi ges i gip ar yr un bach yn sugno'i fawd yn fodlon braf yng nghanol y gwair yn y preseb. 'Rown i'n gwybod yn syth bod 'na rywbeth sbesial o'i gwmpas o. Fedra' i ddim deud be' yn iawn. Mi wyddwn ei fod o'n frenin er nad oedd o ond 'chydig ddyddiau oed.

Roedd y mistar a'i ffrindia yn plygu o'i flaen ac yn rhoi'r anrhegion i'w fam o. Rŵan, peidiwch â gneud yr un mistêc â fi. Peidiwch â disgwyl gweld Iesu'r brenin yn y llefydd crand a phosh fel palas Bycinham – nid yn fano y dowch o hyd iddo, ond yng nghanol tlodi'r byd lle mae pobl mewn angen, yn dioddaf' ac mewn eisiau.

Derbyn Cyflawn Aelodau

Bod yn gyflawn aelodau?

O Naf boed inni gofio – yn seiniau'r
gwasanaeth ymrwymo,
Cymod â'r Duwdod yw o,
Nid ffrilen, nid ffarwelio.

(Einion Evans)

DOD FEL 'RYDW' I

Ein Tad daethom yma fel ag yr ydym, heb geisio bod yn wahanol. Dod gobeithio, yn edrych ein gorau – ac ar ein gora'. I'r llygad beth bynnag edrychwn yn eitha twt – wyneba a sgidia'n sgleinio a phob blewyn yn ei le.

Yn allanol edrychwn yn eitha derbyniol.

Yn fewnol, wel, dwi ddim mor siŵr. Mae rhieni, blaenoriaid a phawb sy' yma am i ni fod, am wn i, ar ein gora'. Yn ôl y siarad mae'n ddiwrnod o bwys yn ein hanes. O heddiw 'mlaen mi fyddwn i gyd yn aelodau llawn, ac yn perthyn go iawn i'th eglwys Di.

Cawn fara i'w fwyta a gwin i'w yfed i gofio am Iesu'n marw er ein mwyn.

Ni yma, i fod ar ein gora', ond yn ôl y sôn bu Iesu farw er ein gwaetha'. Ni'n dod, gobeithio, yn edrych yn dda, ond bu Iesu farw am ein bod yn ddrwg.

Eto'n ôl y sôn cym'rodd Iesu ein gwaetha' ni i'n g'neud yn well.

Ein Tad, sut ddyle' ni ddod at fwrdd y cymun, ar ein gora' – neu'n edrych ein gora', neu fel rydym go iawn oddi mewn?

Yn y dosbarth derbyn fe soniwyd am fod yn onest efo'n hunan a hefo Ti. A d'eud y gwir mae'n anodd deall popeth am Iesu'n marw ar y groes er ein mwyn. Pa werth sy' ynom iddo farw trosom?

Be' dd'wedet Ti ein Tad? Am i ni ddod am dy fod Ti yn ein galw, yn ein gwahodd, yn ein caru?

'Oll fel yr wyf, heb ddadl i'w dwyn
Ond iti farw er fy mwyn'.

Iawn, os felly fe ddown yn onest, dod fel ag yr ydym ni.

- Dod braidd yn gymysglyd – a mynd o'ma, gobeithio, yn deall ein hunain yn well, a gobeithio, yn sicrach ohonot Ti.
- Dod heb ddim i'w roi – mynd o'ma, gobeithio, 'di rhoi ein hunain i Ti.
- Dod yn waglaw – mynd o'ma, gobeithio, yn llawn.
- Dod hwyrach am fod rhieni yn cymell, mynd o'ma, gobeithio, yn falch i ni ddod.

Nesawn at y gwir a'r da, a phellhau oddi wrth y gau a'r drwg.
Closiwn at y gora' a chefnwn ar y gwaetha'.

> 'Dod fel yr wyf heb ddadl i'w dwyn
> Ond iti farw er fy mwyn
> Rwy'n dyfod . . .'

Amen.

'CYN OERI'R GWAED'

Arglwydd, mae'n anodd plesio pawb, ac ni phlesir rhai byth. Beth bynnag wnawn ni'r ifanc tydio byth yn iawn. Bydd rhywbeth yn siŵr o fod o'i le.

'Yr hen betha' ifanc 'ma' dd'wed rhai amdanom. Chwarae teg wedyn mae 'na eraill sy' o'n plaid ac yn deud 'Ifanc ydyn nhw, be'da chi'n ddisgwyl, mae pawb 'di bod yn ifanc ryw dro'.

Ydy amser yn amharu arnat Ti? Mae'n anodd meddwl amdanat Ti'n hen, neu'n ifanc, ran hynny. Nid wyt Ti y naill na'r llall. Mae'n debyg dy fod yr hyn wyt Ti erioed. I rywun ifanc mae'n braf meddwl amdanat yn fythol wyrdd. Y grym nad yw byth yn pallu. Y nerth nad yw byth yn gwanhau. Yr egni nad yw byth yn gorffen a'r anadl bywiol nad yw'n darfod byth. Dyna pam Arglwydd y credaf dy fod yn ein deall ni'r ifanc.

Wrth gwrs mae 'na bobl ifanc a phobl ifanc. Mae hynny'n wir am bawb, beth bynnag fo'u hoed.

'Rwy'n cyfadda' mai anamal yr awn i'r capal, os yr awn o gwbwl. Aeth nifer ohonom i'r Ysgol Sul pan yn blant, mae'n wir. Yna ein derbyn yn gyflawn aelodau, ond bydd y cyfarfod hwnnw 'n gyfarfod ffarwel i'r rhan fwya' ohonom, ac ychydig ohonom fydd yn t'wllu'r capel byth wedyn, ar wahân i briodas hwyrach ac ambell i fedydd.

Pam mae hyn yn bod, dwi ddim yn gwybod yn iawn, Arglwydd. O bosib fod mwy nag un rheswm, a sawl un o'r rheini'n esgus, fel d'eud fod addoli'n 'boring', y bregeth yn sych ac yn anodd ei deall, er fod 'na bregethu felly hefyd, fel y gwyddost yn iawn.

Ond na, Arglwydd, a bod yn onest nid dyna'r gwir. Mae'n hawdd gweld bai ar eraill a chredu mai ni sy'n iawn, ac nad oes dim yn bod nag o'i le arnom ni.

Ond am nad awn i'r capal fe gawn ein galw yn hyn a'r llall. Ond, Arglwydd, fe wyddost fod yn ein plith rai sy'n gwbwl onest, byth yn meddwl drwg am neb, yn barod i achub cam ac yn teimlo i'r byw dros y rhai sy'n diodda. Yn barod i 'neud cymwynas, yn gwrtais, byth yn codi twrw, meddwi a ballu nac ar gyffuria'. Fedr neb godi bys at y rhain, mae nhw'n bobl ifanc gwerth chweil ac yn byw yn dda.

Ond trwy'r cwbwl, fe wn Arglwydd nad yw hynny'n ddigon, mae rhywbeth ar goll.

Ai gennyt ti mae'r ateb?

Er cael popeth, gwaith, cariad, teulu, mwyniant, does dim digon i'w gael ac nid ydym yn fodlon.

Gwna ni sylweddoli mai Ti'n unig fedr gau'r bwlch a llenwi'r gwacter, a bod wnelo Iesu Grist, ei farwolaeth ar y groes, a'r bedd gwag rywbeth ynglŷn â hyn.

Arglwydd agor ein llygaid, agor ein meddylia', agor ein calonna' yn awr.

Arglwydd, helpa ni i gredu ac i ymddiried ynot, a rhoi'n hieuenctid a'n brwdfrydedd i Ti.

Down atat a rhoi'n hunain, beth bynnag a ddigwydd wedyn boed er ein lles ac er dy glod.

Derbyn ni yn enw Iesu Grist. Amen.

DARLLENIAD: I Corinthiaid 12: 12, 14-27.

EMYNAU: 837, 903.

SUL Y MAMAU

Y Fam

Hi rydd ddiben i'n geni, – hi wena
Yng nghanol caledi,
Daw haul i'n hysbrydoli
O gofl hael ei gofal hi.

(John Pinion Jones)

Ein Tad, mae'n Sul y Mamau unwaith eto, diwrnod i gofio'r fam sy'n rhoi ei hoes i gyd i'w phlant. O! Gwyn ei byd.

Dyna ddywedodd Mair, 'O! Gwyn fy myd' pan welais ti yn dda i'w dewis hi yn fam – yn fam i waredwr byd. 'Does rhyfedd Arglwydd, fod rhai yn dy eglwys fawr yn dyfod atat Ti yn enw Mair.

Yr un yw cariad pob gwir fam, cariad nad yw'n lleihau pan aiff y fam yn hŷn; erys y plentyn yn blentyn iddi hi faint bynnag fyddo'i oed.

Diolch i Ti ein Tad am famau'r byd:

• rhai a ŵyr pa beth yw colli cwsg a chodi yn nhrymder nos;

• y rhai abertha'r cwbl oll er mwyn eu plant, boed amser, arian ac iechyd os bydd rhaid.

O! Gwyn ei byd y fam ddi-gŵyn. Mor brysur yw ei dwylo hi, yn golchi beunydd, smwddio, trwsio, pwytho a glanhau, coginio a phorthi'r teulu i gyd.

Y dwylo hyn fu'n dal y baban ar ei bron, anwesu ac anwylo yr un bach. Hi, y fam a roes ein dwylo ninnau ynghyd, a dysgu'r pader inni pan yn blant. Yn ei llaw yr aethom y tro cynta' 'rioed i'th Dŷ. Nid cael ein hanfon, na chael ein hebrwng chwaith i'r Ysgol Sul, **ond myned yno gyda hi. 'Roedd popeth a wnaeth yn 'siampl i ni gyd.**

Hi, y fam yw haul ein dydd, hi hefyd fel y lloer oleua'r nos i ni. Diolch ein Tad am Sul i gofio'r fam, brenhines yr aelwyd a'i chariad yn deyrnwialen trosom ni.

Amen.

DARLLENIADAU: W. Rhys Nicholas, 'I'r Fam'; Eiddwen James; 'Cariad Mam'; Diarhebion 31: 10-31.